LESESTOFF NACH WAHL

MENSCH UND GESELLSCHAFT

LESESTOFF NACH WAHL

MENSCH UND GESELLSCHAFT

URSULA THOMAS

with the cooperation of Freeman Twaddell

THE UNIVERSITY OF WISCONSIN PRESS

Published 1977
The University of Wisconsin Press
Box 1379, Madison, Wisconsin 53701

The University of Wisconsin Press, Ltd.
70 Great Russell Street, London

First printing

Printed in the United States of America

LC 76-11323
ISBN 0-299-07184-7

Acknowledgment is made to the following for permission to use copyrighted material: Schweizer Spiegel Verlag for "Das Stimm- und Wahlrecht" from Wie die Schweiz regiert wird, by Hans Huber, Zürich, 1967; Bundespressedienst in Wien for "Die Fundamente der österreichischen Demokratie" and "Österreich: Geographie und Bevölkerung," from Österreich: Tatsachen und Zahlen, Wien, 1970; mit Genehmigung der Nymphenburger Verlagshandlung GmbH., München: "Fernseh-Interview mit Barbara Bauer" from Liebe Deine Deutschen wie Dich selbst, by Jürgen Neven-du-Mont, 1968, and "Emigration und Widerstand" from Illustrierte Deutsche Kulturgeschichte, by Ernst Johann and Jörg Junker, 1970.
"Nachbarn, die bekannten Unbekannten" is from Unsere Zeitung, June, 1972, source: Bremer Nachrichten; "Die Frau gilt im Beruf wenig" is from Unsere Zeitung, November, 1972, source: Deutscher Forschungsdienst; "Industrie und Wirtschaft der DDR" is from Geographie, Lehrbuch für Klasse 6, Volk und Wissen Volkseigener Verlag, Berlin, 1968; "Wer ist ein guter Deutscher" is from Staatsbürgerkunde 2, Volk und Wissen Volkseigener Verlag, Berlin, 1968.

Contents

These readings represent the second phase of an intermediate German course. The first phase, the "Einführung," was mainly devoted to giving you a review of the basic elements of German grammar, based on fairly simple reading passages. Scattered through that volume are Comments on Grammar, and at the end, the Grammar Reference Notes. In this second phase of learning you will still need to refer to the Grammar Reference Notes often, and occasionally you will want to review one of the Comments on Grammar. Thus you should keep the "Einführung" handy when you are studying.

It is possible that in the class in which you are enrolled you have been given a choice as to which book of the second phase you want to use as a basis for class work. You may, then, have chosen the one called "Physik und Chemie," or "Mensch und Gesellschaft," or "Biologie," or "Literatur." A division of the class into several groups working on different reading selections puts more responsibility on you for your own work, but at the same time it provides some practical advantages.

To develop well-rounded language skills, you need to learn how to understand what you hear or read, and how to communicate what you know. For communication, both understanding what you hear and expressing what you know, you need a social setting, which the class provides. Reading, on the other hand, is an individual's skill, which can only be learned privately. Since learning to read involves your study habits, over which you have control, it should be dealt with first.

The format of this book encourages you to make only minimal use of a German-English dictionary. All readings are provided with abundant notes giving appropriate English translations of words or phrases, German synonyms, grammar references, or other kinds of information which will aid in the understanding of the text. In addition, the first few passages are introduced with a page of two-column, phrase-by-phrase rendering which helps you to familiarize yourself with the subject matter before going on to the traditional format.

Study strategies in learning to read

1) Begin each study session by practicing real reading, that is, cover the footnotes and simply read the sentences, trying to get the meaning out of them.
2) Study the passage with the aid of the notes, use of cognates, intelligent guessing, and, as a last resort, your dictionary.
3) End the study session by rereading the entire passage, again covering the footnotes.

Step Two is the most tedious, painful part of the process, but as you practice all three steps, you will find this part shrinking to the point where it will take little more time than the first or the third, and, ultimate triumph, Step One will suffice. This final stage may take two or three years to achieve, but for the educated intellectual it is a necessary tool.

Step One is frustrating at first, because real reading, you feel, means getting almost the entire message during the first sweep through, as you do in English. However, if you do not continue to practice Step One, you will find yourself locked into Step Two, the slow, irksome, word-by-word look-up-in-the-dictionary process of deciphering — and then wondering whether you have, after all, interpreted the message correctly.

Step One has its immediate benefits as well as being an ultimate goal. A quick survey of the material gives you the broad outlines that are impossible to see in a word-by-word attack. The brain demands more rapid stimuli than the eye can provide when it moves back and forth between text and notes or dictionary. Moreover, the latter part of the passage often throws light on earlier parts, and you find on a second reading that much has become clear.

For the present, Step Two will be most time-consuming, and there are a few special hints that may help.

1. Never write an interlinear or a marginal translation. Writing between the lines is the best way to ruin a passage as a tool for learning to read German, for you must make several passes through the material in order to understand it in German. Once you write in an English word, you will never again see the German.

2. In the beginning you will have to translate many words in order to understand what you are reading. Translating is made difficult by the fact that a word's context affects its translation, sometimes in surprising ways. Thus "lesen" does not always mean "to read" but sometimes "to gather," and "Wein lesen" means "to harvest grapes (for wine)." Consequently it is a mistake to keep long lists of words looked up for a particular passage, because in that passage some may have unusual meanings. Furthermore, if an unfamiliar word occurs in a given selection, there is about a fifty-fifty chance that you will not see it again this semester. You should memorize the vocabulary in the Words and Word Families at the end of each unit, along with a few others that seem particularly useful or appealing to you, but you should not try to memorize all new words as you meet them.

3. You can also increase your German vocabulary resources by intelligent guessing. The guide to intelligent guessing is the total context. First you must determine what grammatical function an unfamiliar word fulfills. Learn to read the signals for nouns, verbs, adjectives, etc. Once you have pinned down the word grammatically, think about the total setting. Try to determine what would logically fit. Do not fall into the trap of trying to squeeze a live elephant into a desk drawer. Finally, read the previous sentence and the one you are working with, preferably aloud. You may have to try several times before you come up with an appropriate meaning, but in the long run it pays off to use your brain instead of the dictionary.

4. Another technique in learning to understand German is to look for cognates, that is, pairs of words that are closely related because of their historical background. However, here you have to be careful, because the words that look the same may no longer have the same meaning in both languages. Haus/house, Wasser/water have retained their original meanings. Now look at German "also" and English "also." Identical twins you would say, but the German word has to be translated into English by "therefore, thus, accordingly," while the English word has the

German meaning "auch." It is also possible that words that were never related in meaning are today accidental look-alikes, as is the case with German "Ei" and English "eye;" however, Ei - egg, eye - Auge. Particularly nasty are several words that have been taken over from Latin or Greek by both English and German, with somewhat different interpretations. For example, German "konsequent" usually can be translated into English as "consistent," and German "eventuell" does not mean "eventually," but most often "perhaps." Cognates will help you as long as you do not jump to conclusions too eagerly.

Grammar

Command of the needed vocabulary is one essential resource that a reader of a foreign language must have. But vocabulary is by no means the whole story; if it were, a computer with a built-in German-English dictionary would be able to turn out satisfactory translations of any German, from a report on a smallpox epidemic to a poem about a jilted lover.

The other, equally essential, resource is a command of the ways the two languages signal the meanings of words and phrases and combine them in sentences — what is somewhat solemnly called "grammar." A control of grammar enables a reader to recognize which of several nouns is the subject of a sentence (Did Arbuthnot break Theodoric's jaw or vice versa?); how and when the action took place (Did he break the jaw, or will he break it, or would he have done so if he could have?); and other important modifications (Was it a firm, solid jaw, or was the blow a solid, powerful blow?).

These are the simplest kinds of problems involved in understanding a sentence through a recognition of its structure. The footnotes call your attention to many other types of grammatical problems as they appear in your reading.

The grammatical comments and exercises, and the entire section of Grammar Reference Notes, are focused on your practical needs. They are not designed to be studied for their own sake; we assume that very few of you have ambitions to become professional grammarians.

On the other hand, the importance of a command of grammar must not be underestimated. It is just as much an essential tool in the comprehension of German as a knowledge of vocabulary is. German is not a peculiar form of English, perversely using un-English words; it is a language with its own ways of making sense by combining words into sentences.

This entire intermediate program is designed to take you from a beginning stage of acquaintance with the bare essentials of German grammar to a level of experience where you will encounter few surprises or incomprehensible sentence structures.

Oral and written practice

The amount and kind of oral and written practice you get in this course depends on how the class is conducted and how you participate. The structure of the materials, however, encourages the use of several patterns of classroom activity as you work through a unit. You will sometimes be working on a common task with the entire class. Often you will have a chance to work with the group of students who chose the same Collection of readings that you chose. At that time you can iron out problems of understanding, practice asking and answering questions in German, and prepare in general for the culminating activity of the unit: explaining the contents of your reading selection to a member of another group, someone who is not familiar with your subject matter, and doing your best to comprehend what he or she has to tell you.

Attempting to use German to explain a concept or narrate a story is frustrating at first, but you will find that as you relax with your fellow-students, using gestures, drawings, charts, and diagrams as well as the German language, you will gain a real sense of accomplishment.

Remember, in the years of practice you have had with your native language, you have not learned it perfectly. Native Germans make mistakes too. Language learning is a gradual process, and it takes constant practice. Some of the mistakes you make will be corrected by your fellow students, some by your teacher. Only through this refining process will you gradually eliminate most of your errors and gain confidence in your ability to make yourself understood. The confidence that you can understand what you hear or read and can express to others what you have understood is the joy of learning a language.

LESESTOFF NACH WAHL

MENSCH UND GESELLSCHAFT

FERNSEH-INTERVIEW MIT BARBARA BAUER

Mein Vater ist 1956 an Kriegsfolgen gestorben.
Er war vor dem Krieg
in Waldenburg in Schlesien Redakteur.
Im Krieg war er einfacher Soldat,
und 1949 kam er
mit einem Herz- und Bronchialleiden
aus russischer Gefangenschaft zurück
und war nicht mehr arbeitsfähig.
Meine Erinnerung an meinen Vater
ist nur sehr undeutlich.
Das kommt höchstwahrscheinlich daher,
daß meine Mutter
ihn mehr und mehr zur Seite gedrängt hat.
Er war der künstlerische Teil in der Familie,
und meine Mutter meinte,
das Zepter schwingen zu müssen.
Sie hat es mit Bravour fertiggebracht,
uns das Vaterbild weitgehend zu nehmen.
Das war psychologisch sehr interessant.
Als Kind dachte ich immer,
meine Mutter sei
der bravere und redlichere Teil
meiner Eltern.
Wenn ich das alles aber jetzt rückblickend betrachte,
sehe ich,
daß dies eine völlig falsche Vorstellung von mir war.
Sie hat es einfach fertiggebracht,
meinen Vater an die Wand zu drücken.
Es gibt ja Frauen,
die das mit Glanz fertigbringen.
Inzwischen bin ich auch dahintergekommen,
daß nicht das männliche,
sondern das weibliche Geschlecht
das stärkere ist.
Leider Gottes!
Ich habe das auch in vielen anderen Ehen beobachtet.
Vielleicht kommt es daher,
daß der Mann der Nachgiebere ist,
weil er der Klügere ist,
und die Frau die Stärkere,
weil sie primitiver ist.

TELEVISION INTERVIEW WITH BARBARA BAUER

My father died of war-related causes in 1956.
Before the war he was
an editor in Waldenburg, Silesia.
In the war he was a private,
and in 1949 he came,
suffering from heart and bronchial troubles,
back from Russian captivity,
and was no longer able to work.
My memory of my father
is only very hazy.
The reason very probably is
that my mother
pushed him aside more and more.
He was the artistic member of the family,
and my mother thought
that she had to brandish the scepter.
She succeeded brilliantly
in depriving us of the father image to a considerable extent.
Psychologically that was very interesting.
As a child I always thought
that my mother was
the worthier, the more honest
of my two parents.
Now, however, when I regard all that in retrospect,
I see
that this was a complete misconception on my part.
She simply managed
to push my father to the wall.
There are women, you know,
who accomplish that splendidly.
Meanwhile I have found out
that not the male
but rather the female sex
is the stronger.
And that's really unfortunate!
I have also observed that in many other marriages.
Perhaps the reason is
that the man is the more forbearing
because he is the wiser one,
and the woman the stronger
because she is more primitive.

1 *Fernseh-Interview*

(mit Barbara Bauer, 26 Jahre, nicht verheiratet, Psychologin)

Mein Vater ist 1956 an Kriegsfolgen gestorben. Er war vor dem Krieg in Waldenburg in Schlesien Redakteur. Im Krieg war er einfacher Soldat, und 1949 kam er mit einem Herz- und Bronchialleiden aus russischer Gefangenschaft
5 zurück und war nicht mehr arbeitsfähig. Meine Erinnerung an meinen Vater ist nur sehr undeutlich. Das kommt höchstwahrscheinlich daher, daß meine Mutter ihn mehr und mehr zur Seite gedrängt hat. Er war der künstlerische Teil in der Familie, und meine Mutter meinte, das Zepter schwingen
10 zu müssen. Sie hat es mit Bravour fertiggebracht, uns das Vaterbild weitgehend zu nehmen. Das war psychologisch sehr interessant.

Als Kind dachte ich immer, meine Mutter sei der bravere und redlichere Teil meiner Eltern. Wenn ich das alles aber
15 jetzt rückblickend betrachte, sehe ich, daß dies eine völlig falsche Vorstellung von mir war. Sie hat es einfach fertiggebracht, meinen Vater an die Wand zu drücken. Es gibt ja Frauen, die das mit Glanz fertigbringen. Inzwischen bin ich auch dahintergekommen, daß nicht das männliche, sondern das
20 weibliche Geschlecht das stärkere ist. Leider Gottes! Ich habe das auch in vielen anderen Ehen beobachtet. Vielleicht kommt es daher, daß der Mann der Nachgiebigere ist, weil er der Klügere ist, und die Frau die Stärkere, weil sie primitiver ist. Das ist eine ziemlich generelle Erscheinung.
25 Die Möglichkeiten der Frauen sind schon kolossal. Viele nutzen sie ja sehr offensichtlich aus. Sie beherrschen die Kunst des sanften Regierens. Sie kombinieren ihre Stärke mit Klugheit.

Weil ich all dies weiß und selbst eine Ehe vorziehe, in
30 der der Mann der Stärkere ist, tendiere ich auch zu Männern, die mindestens fünfzehn Jahre älter sind als ich. Mein Mann muß jedenfalls charakterlich stärker sein als ich, so daß ich mich ihm gern unterordnen würde. Aber vorerst möchte ich mal meinen Beruf ausüben. Als Psychologin möchte ich

2 Waldenburg in Schlesien: Heute heißt diese Stadt Walbrzych. Sie liegt in dem Teil von Deutschland, den Polen nach dem Zweiten Weltkrieg bekommen hat.
22 daß der Mann der Nachgiebigere ist, weil er der Klügere ist...: *There is a German saying:* Der Klügere gibt nach. - *The wiser person gives in. Note that* nachgiebig *is related to the verb* nach•geben.
24 ziemlich - *rather*
24 die Erscheinung - *phenomenon*
25 Viele (Frauen)
26 aus•nutzen - *take advantage of*
26 offensichtlich - *clearly*
26 beherrschen - *be master of*
27 sanft - *gentle*
27 regieren - *govern, rule*
27 kombinieren [§9.3.3]: *Verbs that end in -ieren are often easily recognizable as formations from English verbs.*
29 selbst - *(I) myself*
29 vor•ziehen [2a] - *prefer*
31 mindestens - *at least*
31 älter sind als ich [§8.3:*Note*]
32 jedenfalls - *at any rate*
33 sich unter•ordnen - *subordinate oneself (to)*
33 vorerst - *first of all*
34 der Beruf - *profession*
34 aus•üben - *practice*

35 gerne in der Heilpädagogik arbeiten. Auf keinen Fall will ich in die Industrie oder in die Werbung gehen. Schulpsychologie, Erziehungsberatung, Berufsberatung usw., das kommt für mich alles nicht in Frage. Aber wenn ich eines Tages heirate, dann will ich meinen Beruf nicht mehr ausüben. Ich
40 halte es für unmöglich, daß eine Frau zwei so wichtigen Sachen wie Beruf und Ehe gerecht werden kann. Ich habe phantastische Frauen erlebt, die im Beruf standen und Kinder hatten, aber auch sie haben beides vernachlässigt. Ich kenne eigentlich nur Fälle, in denen das schiefging, und
45 ich glaube auch nicht, daß ich eine bessere Ehe führen könnte, weil ich Psychologie studiert habe und etwas mehr von der Psyche der Menschen verstehe. Um eine gute Ehe zu führen, bedarf es ausschließlich des gesunden Menschenverstands und einiger Herzenswärme. Was ich zu erhalten und zu geben
50 wünsche, ist dauerhafte Liebe, nicht Liebe schlechthin, sondern sich regenerierende, immer wieder neue Liebe, geboren aus einer ständigen fruchtbaren Auseinandersetzung mit dem Partner. Erotik ist, rein betrachtet, nur in Verbindung mit Liebe wundervoll. Sex ist doch nur Erotik minus Liebe. Wenn
55 der Mensch so wäre, wie wir ihn in unseren Illustrierten dargestellt bekommen, dann würden diese Illustrierten nicht so gekauft werden. Wer wirklich so sexbewußt ist, braucht keine Playboy- oder Playgirl-Zeitschrift, der ist selber sexy, der

35 die Heilpädagogik - *Special Education: working with the handicapped*
35 auf keinen Fall - *under no circumstances*
36 die Werbung - *advertising*
37 die Erziehungsberatung - *educational counseling*
37 die Berufsberatung - *vocational counseling*
37 usw. = und so weiter - *etc.*
37 nicht in Frage kommen - *be out of the question*
39 heiraten - *get married*
40 halten (für) - *regard, consider*
41 gerecht werden (+ *dat.*) - *do justice to*
42 erleben = *(here)* kennen
43 sie: *Antecedent?*
43 beides: *Although this word has a singular form it has two antecedents. What are they?*
43 vernachlässigen - *neglect*
44 eigentlich - *actually*
44 der Fall - *case*
44 schief•gehen [§6.2.2] - *fail, go wrong*
45 eine Ehe führen - *have a marriage*
46 Psychologie studieren - *be a student majoring in psychology (The verb* studieren *is not used in the sense of "studying, preparing lessons" —— that is* lernen, arbeiten. *When you "take German" as a subject, you say,* "Ich lerne Deutsch." *If you have to "study" in the evening, you say,* "Ich muß heute abend arbeiten."
48 bedürfen (+ *gen.*) [§6.1.3] - *need*
48 ausschließlich = nur
48 der gesunde Menschenverstand - *common sense*
49 einiger - *some*
49 erhalten = bekommen
50 dauerhaft - *continuous*
50 Liebe schlechthin - *absolute love*
52 ständig = dauerhaft
52 fruchtbar - *fruitful*
52 die Auseinandersetzung - *exchange of ideas*
53 rein betrachtet - *regarded by itself*
55 die Illustrierte - *semi-pornographic popular magazine*
57 Wer - *whoever*
57 sexbewußt - *sex-conscious*
58 selber = selbst (29)
58 der - *he (refers to* Wer, *line 57, does not need to be translated into English)*

braucht sich nicht erst von äußeren Reizen beeinflussen las-
60 sen. Sexy ist natürlich Quatsch. Ich meine, der Mensch, der
an den Wert der liebevollen Erotik glaubt, braucht gegenüber
dieser Sexwelle nicht komplexbeladen zu sein. Aber diese
Illustrierten reden vielen Komplexe ein, machen viele glauben,
sie seien nicht ausreichend sexy, nicht normal, wenn sie nicht
65 auf dieser allgemeinen Sexwelle mitschwimmen, die vielleicht
ihrem Innersten widerstrebt. Nein, ich lasse mich da nicht
beirren. Ich möchte normal leben. Ich möchte Kinder haben.
Ich möchte sie gut erziehen, und ich möchte eine gute Ehe
führen. Das ist meine Vorstellung von der kleinen Welt, aber
70 diese kleine Welt ist natürlich sehr stark von der großen
Welt beeinflußt, in der sie drinsteckt, und diese große Welt
kann man eigentlich nur politisch sehen, denn die Politik bestimmt ja nun einmal weitgehend unser Leben.

59 braucht sich nicht von...beeinflussen lassen - *doesn't need to let himself be influenced by...*
59 äußere Reize - *external stimuli*
60 der Quatsch - *utter nonsense*
60 meinen - *be of the opinion*
61 gegenüber *(+ dat.)* - *toward*
62 die Welle - *wave*
62 -beladen - *laden (with)*
63 reden vielen (Menschen) Komplexe ein - *talk many people into (having) complexes*
64 ausreichend = genügend - *sufficiently*
65 allgemein - *general*
66 das Innerste - *the innermost being*
66 widerstreben - *conflict with*
66 sich beirren lassen - *be led astray*
68 erziehen [2a] - *bring up*
69 die Vorstellung - *idea, notion*
71 beeinflussen - *influence*
71 drin•stecken - *be part of*
72 bestimmen - *determine*
73 weitgehend - *considerably*

QUESTIONS ON THE TEXT

Who was Barbara's father and what happened to him?
How did Barbara regard her father and her mother when she was a child?
How did her mother show her dominance?
What excuse was there for it?
How did Barbara's attitude toward her parents change?
Is Barbara happy about her observation that the female is the stronger sex?
What is it about the male that weakens him, in her opinion?
Why, in her view, is the female stronger?
What kind of husband is Barbara looking for?
What does she want to do before marriage?
What kind of work does she want after marrying?
What has she observed about career wives and mothers?
Does she think her study of psychology will help her build a better marriage?
Why, or why not?
What is Barbara's definition of "sex" and "love"?
What does she claim is the effect of the "Playboy"-type magazines on many ordinary people?
What is for Barbara "normal"?

(Barbara Bauer spricht mit einem Berichterstatter im Fernsehen. Dieser hat Interviews mit vielen Einwohnern einer Stadt gemacht, um einen Querschnitt der Meinungen zu erhalten.)

Wer ist Barbara Bauer?
Welchen Beruf hat sie?
Was war ihr Vater von Beruf?
Was für ein Mensch war er?
Woran ist er gestorben?
Was hat Barbara als Kind von der Mutter gehalten?
Und vom Vater?
Wie hat sich ihre Meinung geändert, als sie älter geworden ist?
Was für einen Mann will Barbara heiraten? Warum?
Glaubt sie, daß eine verheiratete Frau auch einen Beruf ausüben soll?
Warum? / Warum nicht?
Was halten Sie von der Frage der Berufstätigkeit der verheirateten Frau?
Was sagt Barbara vom Sex?
Was sagt sie von der Liebe?
Was hält sie von den Illustrierten, die überall zu kaufen sind?
Was hält sie für „normal"?
Was ist die kleine Welt?
Was ist die große Welt?
Was halten Sie von Barbara Bauer?

WORDS AND WORD FAMILIES

aus•üben (34, 39)
beeinflussen (59, 71)
der Beruf -e (34, 39, 41, 42)
    die Berufsberatung (37)
betrachten (15, 53)
brauchen (57, 59, 61)
die Ehe -n (21, 29, 41)
eigentlich (44, 72)
erziehen [2a] (68)
    die Erziehungsberatung (37)
der Fall/Fälle (35, 44)
fertig•bringen [§6.1.2] (10, 16, 18)
führen: eine Ehe führen (45, 47, 68)
jedenfalls (32)
klug:
    der Klügere (23)
    die Klugheit (28)
der Mann/Männer (30, 31)
    männlich (19)
meinen (9, 60)
sterben [5a] (1)
die Vorstellung -en (16, 69)
weiblich (20)
weitgehend (11, 73)

Übung A

Name ______________________________________ Datum ___________

["Übung A" in each unit is common to all Collections. It is meant to give you practice in recognizing and interpreting grammatical structures without necessarily knowing the meanings of all the words. The Practice Sentences for the exercises are taken from the corresponding units of all four Collections. The source of each sentence is shown by the initial letter of the Collection (P = Physik und Chemie; L = Literatur; M = Mensch und Gesellschaft; B = Biologie) and the line number referring to the reading text. Thus P:5 indicates that the sentence begins on the fifth line of the reading text of the current unit in Physik und Chemie.]

A In each of the following sentences, underline the inflected verb(s) of the main clause(s) once, the subject(s) twice. [§8.1 (including everything through §8.1.2.6)]

1 Wenn die Krebszellen nicht aus dem Körper entfernt werden, führt die Krankheit zum Tode. (B:28)

2 Durch das Wasserrad wird eine Wasserschraube gedreht, welche das gesamte heruntergeflossene Wasser wieder in das Oberbecken befördert. (P:5)

3 Wenn die Frau Männerschritte vor dem Hause hörte, eilte sie hinaus, um zu sehen, ob er es sei, und wenn es an die Tür klopfte, pochte ihr Herz. (L:26)

4 Seit der Entdeckung der Zelle zu Beginn des 17. Jahrhunderts haben viele bedeutende Biologen immer genauer die Zelle und ihre Bestandteile erforscht. (B:1)

5 Weil ich all dies weiß und selbst eine Ehe vorziehe, in der der Mann der Stärkere ist, tendiere ich auch zu Männern, die mindestens fünfzehn Jahre älter sind als ich. (M:29)

B Underline the inflected verb(s) in all subordinate clauses with a single line. Then indicate the head word — subordinating conjunction or relative pronoun — with a double underline. [§8.4]

1 Als sie zwanzig Jahre gewartet hatte und spürte, daß es ans Welken ging, lernte sie einen Mann kennen, der ihr nicht übel gefiel und den sie zu heiraten gedachte. (L:38)

2 Eine Maschine, die nach einmaligem Arbeitsaufwand in dauernder Bewegung bleibt und dabei sogar noch laufend zusätzliche Arbeit verrichtet, ist unmöglich. (P:47)

3 Es fand sich eine Spur, aber nur eine kleine, die nicht weit führte und sogleich wieder abbrach. (L:15)

4 Ich kenne eigentlich nur Fälle, in denen das schiefging, und ich glaube auch nicht, daß ich eine bessere Ehe führen könnte, weil ich Psychologie studiert habe und etwas mehr von der Psyche der Menschen verstehe. (M:43)

5 Man kennt heute die Zellbestandteile, durch die Merkmale der Eltern an die Nachkommen weitergegeben werden. (B:52)

C Rewrite the underlined subordinate clause as an independent sentence, omitting the subordinating conjunction and putting the inflected verb in its "independent" position.

1 Weil ich all dies weiß und selbst eine Ehe vorziehe, in der der Mann der Stärkere ist, tendiere ich auch zu Männern, die mindestens fünfzehn Jahre älter sind als ich. (M: 29)

Ich weiß all dies und ziehe selbst eine Ehe vor, in der der Mann der Stärkere ist.

2 Auch die kompliziertesten Vorschläge zum Bau eines solchen perpetuum mobile sind vollkommen nutzlos, und sie zeigen nur, daß der Erfinder sich nicht genügend mit den grundlegenden Gesetzen der Physik befaßt hat. (P:50)

---

3 Daß wir heute recht genau über den Bau und die Funktion der Zelle Bescheid wissen, ist nicht nur ein Verdienst vieler biologischer Wissenschaftler. (B:10)

---

4 Sie nahm ihn wahrhaftig wieder auf, die Brave, nachdem sie ein halbes Leben seinetwillen verwartet hatte, denn er war und blieb nun einmal ihr Mann. (L:88)

---

5 Viele glauben, sie seien nicht ausreichend sexy, nicht normal, wenn sie nicht auf dieser allgemeinen Sexwelle mitschwimmen, die vielleicht ihrem Innersten widerstrebt. (M:63)

Übung B

Name ______________________ Datum ____________

A Indicate by a check in the appropriate column whether the noun or pronoun following the preposition is dative or accusative. Then give the reason for the use of that case: goal, position, time, or idiomatic usage. [§1.2.3 + §1.3.4; cf. §4 for case endings.]

	Dative	Accus.	Reason
1 an meinen Vater (6)	______	✓	idiomatic: Erinnerung
2 in der Familie (8)	______	______	____________
3 an die Wand (17)	______	______	____________
4 in vielen anderen Ehen (21)	______	______	____________
5 in der Heilpädagogik (35)	______	______	____________
6 in die Industrie (36)	______	______	____________
7 im Beruf (42)	______	______	____________
8 in denen (44)	______	______	____________
9 in unseren Illustrierten (55)	______	______	____________
10 in der (71)	______	______	____________

B Give the infinitive of each of the following verbs.

1 gestorben (1) [5a] ______ sterben ______

2 fertiggebracht (10) [§6.1.2] ____________________

3 dachte (13) [§6.1.2] ____________________

4 vorziehe (29) [2a] ____________________

5 schiefging (44) [§6.2.2] ____________________

C Give the antecedent of each of the following personal or relative pronouns. [§5.3]

1 der[1] (30) ______ Ehe ______

2 die (31) ____________________

3 ihm (33) ____________________

4 die (42) ____________________

5 ihn (55) ____________________

D The ending **-er** can be a signal for the comparative [§4.8], or it can be a simple adjective ending [§4.6, §4.7]. Look at the following adjectives in their contexts and indicate which are comparatives and which are adjectives with adjective endings.

1 einfacher (3) ________________________

2 russischer (4) ________________________

3 primitiver (23) ________________________

4 älter (31) ________________________

5 stärker (32) ________________________

6 einiger (49) ________________________

E Using the principles reviewed in Exercise A on the other side of this sheet, fill in the blanks with the appropriate form of the prepositional phrase.

1 Barbara erinnert sich nicht sehr deutlich ________________
(an + ihr Vater)

2 Sie möchte nicht ________________________________ arbeiten.
(in + die Erziehungsberatung)

3 Sie möchte auch nicht ____________________________ gehen.
(in + die Berufsberatung)

4 ______________________________ ist es schiefgegangen.
(In + dieser Fall)

NACHBARN, DIE BEKANNTEN UNBEKANNTEN

Ein wunderbarer Instinkt
hat dem Menschen eingegeben,
mit Nachbarn nicht befreundet sein zu
wollen.
Es gilt weithin für unwahrscheinlich,
daß Nachbarn gut zueinander passen
könnten.
Seine Freunde erwirbt man anders,
und Freunde wohnen stets weiter entfernt.
Es ist sehr selten,
daß Nachbarn Freunde werden,
aber es geschah schon,
daß Freunde,
als sie nebeneinander wohnten,
ihre Freundschaft einbüßten.
Denn Nachbarn sind
von Natur aus
reizbar.
Sie reiben sich aneinander,
durch nichts gereizt
als die Tatsache ihrer Nachbarschaft.
Vorsicht, also,
sagt sich ein jeder,
vor intimerer Bekanntschaft
mit den Leuten von nebenan.
Nichts als Höflichkeit,
allenfalls Freundlichkeit!
Es gibt da Lebensregeln und Empfehlungen,
die sich rauh anhören:
Laß dich nicht mit Leuten aus dem
Hause ein!
Guten Tag, guten Weg,
nichts weiter!
Dennoch hat man einander
täglich vor Augen:
den Mann, die Frau, die Kinder,
Hund, Katze, Auto, Garten,
Blumentopf, Gardinen,
Mülleimer, Fernsehantenne.
Auch ans Ohr dringt manches aus Nach-
bars Leben:
Schritte aller Art,
harte, schnelle, dröhnende, trap-
pelnde;
Radio, Klavier, Ziehharmonika,
Rufen, Lachen, Schimpfen,
Wasser-in-die-Badewanne-laufen-
Lassen,
Singen, Pfeifen.

NEIGHBORS, THE FAMILIAR STRANGERS

A strange and marvellous instinct
has prompted the human being
not to want to be friends with
neighbors.
It is generally considered improbable
that neighbors could be in harmony
with one another.
One makes one's friends in other ways,
and friends always live farther away.
It is very rare
that neighbors become friends,
but it has happened
that friends,
when they lived in the neighboring
apartment,
forfeited their friendship.
For neighbors are
by nature
touchy.
They quarrel with each other,
irritated by nothing
except the fact of their proximity.
Therefore be careful,
everyone says to himself,
about an overly intimate acquaintance-
ship
with the people from next door.
Nothing but courtesy,
at most friendliness!
There are maxims and recommendations
here
that sound harsh:
Don't get involved with people who
live in the same house!
Good day, have a good day,
nothing more!
However, people have one another
in sight daily:
the husband, the wife, the children,
dog, cat, car, garden,
flower pot, draperies,
garbage can, TV antenna.
The ear, too, is assaulted by things
from the neighbors' life:
Footsteps of all kinds,
firm, quick, thudding, pattering;
radio, piano, accordion,
calling, laughing, scolding,
water running in the bathtub,
singing, whistling.

Ein wunderbarer Instinkt hat dem Menschen eingegeben, mit Nachbarn nicht befreundet sein zu wollen. Es gilt weithin für unwahrscheinlich, daß Nachbarn gut zueinander passen könnten. Seine Freunde erwirbt man anders, und Freunde woh-
5 nen stets weiter entfernt. Es ist sehr selten, daß Nachbarn Freunde werden, aber es geschah schon, daß Freunde, als sie nebeneinander wohnten, ihre Freundschaft einbüßten. Denn Nachbarn sind von Natur aus reizbar. Sie reiben sich aneinander, durch nichts gereizt als die Tatsache ihrer Nachbar-
10 schaft.

Vorsicht, also, sagt sich ein jeder, vor intimerer Bekanntschaft mit den Leuten von nebenan. Nichts als Höflichkeit, allenfalls Freundlichkeit! Es gibt da Lebensregeln und Empfehlungen, die sich rauh anhören: Laß dich nicht mit
15 Leuten aus dem Hause ein! Guten Tag, guten Weg, nichts weiter!

Dennoch hat man einander täglich vor Augen: den Mann, die Frau, die Kinder, Hund, Katze, Auto, Garten, Blumentopf, Gardinen, Mülleimer, Fernsehantenne. Auch ans Ohr dringt man-
20 ches aus Nachbars Leben: Schritte aller Art, harte, schnelle, dröhnende, trappelnde; Radio, Klavier, Ziehharmonika, Rufen, Lachen, Schimpfen, Wasser-in-die-Badewanne-laufen-Lassen, Singen, Pfeifen. Nicht selten noch des nachbarlichen Lebens Düfte: Brät die Nachbarin eine Gans? Was für einen Kuchen
25 bäckt sie? Dienstags geht sie auf den Markt.

Ob man es mit lebhaftem oder nur mattem Interesse verfolgt, oder ob es einem gleichgültig ist: Man weiß es. Man kann dem Wissen nicht entrinnen. Manches Wissen bringt sogar Unmut: Der Nachbar hat einen neuen Wagen, einen besseren, als
30 man selbst hat. Die Frage drängt sich auf: Was ist der Nachbar, was stellt er vor, was hat er? Beruf, Stellung, Firma — die Kenntnis fliegt einen an. Ein Lieferwagen hält, bringt eine Waschmaschine. Oder ein Möbelwagen lädt eine Biedermeiertruhe aus. Zu wem wird die Truhe ins Haus getra-
35 gen? Eine fremde junge Dame in Leopardenjacke kommt zum Haus herein. Wen besucht sie? Den jungen Mann, der oben das Appartement hat? Es interessiert niemanden. Alle Menschen

23 nicht selten = oft
23 noch = auch
24 der Duft/Düfte - *pleasant smell*
24 braten [7a] - *roast*
24 die Gans - *goose*
24 der Kuchen - *cake*
26 lebhaft - *lively*
26 matt - *faint*
26 verfolgen - *pursue*
27 einem [§18.4.3]
27 gleichgültig (+ *dat.*) - *of no concern (to)*
28 entrinnen [3b] - *escape*
28 sogar - *even*
28 der Unmut - *annoyance*
30 sich auf•drängen - *force itself upon the attention*
31 was stellt er vor? - *what is his position in society?*
31 die Stellung - *position*
32 die Kenntnis - *knowledge*
32 an•fliegen [2a] - *fly in (one's) face*
32 einen [§18.4.3]
32 der Lieferwagen - *delivery truck*
33 der Möbelwagen - *truck delivering furniture*
33 aus•laden [6a] - *unload*
34 die Biedermeiertruhe - *Biedermeier chest (Biedermeier: a style of furniture developed in the early 19th century)*
37 niemand [§5.5] - *nobody*

sind heute vernünftig, zurückhaltend, verachten Neugierde. Aber Beobachtungen kann niemand unterdrücken. Wirkliche Teil-
40 nahmslosigkeit gibt es denn eben doch nicht unter Nachbarn. Will man blind und taub leben? Besonders die Frauen, die morgens nicht aus dem Haus gehen, um abends wiederzukommen: Wollen sie nicht einmal diese kleine abgegrenzte Schau vom Leben haben? Sollen sie etwa nicht in den Kinderwagen der
45 Nachbarin schauen und das Baby niedlich finden? Seltsam, daß zu den Geboten guter Nachbarlichkeit auch die Gefälligkeit rechnet.

Wie soll man einander gefällig sein, wenn man gänzlich kühlen Abstand wahrt? Man hilft einander mit etwas aus, man
50 bittet einander für dies und das um Entschuldigung. Eine eigentümlich sanfte, unverbindliche Bekanntschaft entsteht auf diese Weise. Man weiß nur Banales voneinander, und wer mit dieser Kenntnis anständig und behutsam umgeht, ist ein guter Nachbar.

55 Das Leben webt um uns, nebenan, über uns und unter uns. Wir hören das Leben gehen und trappeln, singen und pfeifen, baden und staubsaugen, schimpfen und lachen. Wir betrachten es, das Leben um uns, neue Mäntel, neue Wagen, neue Mülleimer, alte Hausschuhe, geputzte Fenster. Die Anschauung des Bana-
60 len und das Sinnieren darüber weben zwischen Nachbarn und Nachbarn. Sie wursteln sich damit durchs Leben, nach Kräften taktvoll und gelassen.

38 vernünftig - *reasonable*
38 zurückhaltend - *reserved*
38 verachten - *despise*
38 die Neugierde - *curiosity*
39 die Beobachtung - *observation*
39 unterdrücken - *suppress*
39 die Teilnahmslosigkeit - *indifference*
40 unter - *among*
41 taub - *deaf*
41 besonders - *especially*
41 die Frauen ... wiederzukommen: Wer geht morgens aus dem Haus und kommt abends wieder zurück?
43 abgegrenzt - *limited*
43 die Schau - *view*
43 nicht einmal - *not even*
44 etwa = vielleicht
45 niedlich - *cute*
45 seltsam - *strange*
46 das Gebot - *rule*
46 die Gefälligkeit - *kindness, helpfulness*
47 rechnen (zu) - *be included (in)*
48 gänzlich [§4.9] - *completely*
49 der Abstand - *distance*
49 wahren - *maintain*
50 bitten [4d] (um) - *ask (for)*
50 für dies und das - *on account of this or that*
50 die Entschuldigung - *pardon*
51 eigentümlich - *peculiar(ly)* [§4.9]
51 sanft - *gentle*
51 unverbindlich - *free of obligation*
51 entstehen [§6.2.2] - *come into existence*
52 auf diese Weise - *in this way*
53 anständig - *discreet(ly)*
53 behutsam - *careful(ly)*
55 weben - *intertwine*
57 staub·saugen - *vacuum clean*
59 putzen - *clean*
59 die Anschauung - *observation*
60 sinnieren [§2.5] - *ponder*
60 darüber [§17.1.1] = über das Banale
61 sich wursteln - *muddle through*
61 nach Kräften ... gelassen - *as tactfully and calmly as they can*
61 nach Kräften - *according to their powers*

QUESTIONS ON THE TEXT

What happens to friendships among close neighbors?
Why does this happen?
What care should neighbors practice in their relationships with each other?
What contacts do neighbors have with one another?
What can't neighbors avoid?
What kinds of questions do neighbors ask themselves about each other?
Which members of the family are most involved in relationships with the neighbors?
What are some of the rules for getting along with neighbors?
How do most people deal with these problems?

What differences in living patterns between German and American families do you observe from reading this article?
What similarities are revealed?

Warum können Nachbarn nicht Freunde sein?
Was kann geschehen, wenn Freunde nebeneinander wohnen?
Was für ein Verhältnis soll man also zu den Nachbarn haben: ein intimes, zum Beispiel?
Was kann man von den Nachbarn sehen?
Was kann man hören?
Was kann man riechen?
Was kann man nicht vermeiden, wenn man mit vielen anderen im selben Wohnblock wohnt?
Was kann Unmut bringen?
Was kann man nicht vermeiden, wenn man auch nicht neugierig sein will?
Warum ist diese Teilnahmslosigkeit den Frauen besonders schwer?
Was gehört zu den Geboten guter Nachbarlichkeit?
Was tut man, wenn man einander gefällig sein will?
Wie kommt man am besten mit den Nachbarn aus?

WORDS AND WORD FAMILIES

die Bekanntschaft (11, 51)
einander (17, 48, 49, 50)
    aneinander (8)
    nebeneinander (7)
    voneinander (52)
    zueinander (3)
der Freund -e (4, 6)
    die Freundschaft (7)
    die Freundlichkeit (13)
gefällig (48)
    die Gefälligkeit (46)
die Kenntnis/-nisse (32, 53)
der Nachbar -n (3, 5)
    die Nachbarin -nen (24)
    die Nachbarschaft (9)
    nachbarlich (23)
    die Nachbarlichkeit (46)
nebenan (12, 55)
pfeifen [lb] (23, 56)
reizen (9)
    reizbar (8)
schauen (45)
    die Schau (43)
schimpfen (22, 57)

Übung A

Name ____ Datum _____________

A Indicate by a check in the appropriate column whether the noun or pronoun in the underlined phrase is dative or accusative. Then give the reason for the use of that case: goal, position, time, or idiomatic usage. [§1.2.3 + §1.3.4; cf. §4 for case endings.]

	Dat.	Acc.	Reason
1 Die Frau wohnte im vorletzten Stock. (L:6)	----	----	------------
2 Die Wohnung über ihr stand leer. (L:17)	----	----	------------
3 Die Fenster des Vorraumes sahen auf den Hof. (L:62)	----	----	------------
4 An eines der Fenster war ein Gitterbett geschoben. (L:79)	----	----	------------
5 Bei einigen Bäumen fallen die Blätter im Herbst ab. (B:4)	----	----	------------
6 Der Blütenstaub kann direkt auf die Samenanlage gelangen. (B:13)	----	----	------------
7 Die Samenanlage liegt „nackt" auf dem Fruchtblatt. (B:15)	----	----	------------
8 Braune Nadelstiele bleiben beim Abfallen am Zweig zurück. (B:29)	----	----	------------
9 Vorsicht, sagt sich ein jeder, vor intimerer Bekanntschaft mit den Leuten von nebenan. (M:11)	----	----	------------
10 Dienstags geht die Frau auf den Markt. (M:25)	----	----	------------
11 Zu wem wird die Truhe ins Haus getragen? (M:34)	----	----	------------
12 Man kann Schwefel durch Zerreiben in kleinste Teilchen zerteilen. (P:1)	----	----	------------
13 Auf der Strecke 1 mm hätten ungefähr 10 Millionen Atome Platz. (P:18)	----	----	------------
14 Ein Molekül Quecksilberoxid zerfällt in ein Atom Quecksilber und ein Atom Sauerstoff. (P:69)	----	----	------------

B Review pages 53 and 54 of the Einführung. Then give the infinitive of each of the underlined verbs. Watch out for the separated components of compound verbs.

1 Die meisten Arten der Nadelgehölze behalten ihre Nadeln über den Winter. (B:2) _____________

2 Bei einigen fallen sie im Herbst ab. (B:4) _____________

3 Ein Zapfen setzt sich aus vielen einzelnen Zapfenschuppen zusammen. (B:10) _____________

4 Die Samenanlagen sind nicht von Fruchtknoten umgeben. (B:12) _____________

5 Der Blütenstaub kann direkt auf die Samenanlage gelangen. (B:13) _____________

6 Unterhalb lag [4c] eine Werkstatt. (L:18) _____________

7 Sie bewegte leicht den Kopf. (L:19) _____________

8 Sooft er aufsah [4b], kniff [1b] er das linke Auge zu. (L:34) _____________

9 Er schien [1a] das Lachen eine Sekunde lang in der hohlen Hand zu halten. (L:48) _____________

10 Ein wunderbarer Instinkt hat dem Menschen eingegeben, mit Nachbarn nicht befreundet sein zu wollen. (M:1) _____________

11 Seine Freunde erwirbt [5a] man anders.(M:4) _____________

12 Es geschah [4b] schon, daß Freunde, als sie nebeneinander wohnten, ihre Freundschaft einbüßten. (M:6) _____________

13 Brät [7a] die Nachbarin eine Gans? (M:24) [Cf. §7.1.1:Note] _____________

14 Die Frage drängt sich auf. (M:30) _____________

15 In Gedanken setzen wir diese Teilung fort, wobei wir zu immer kleineren Teilchen gelangen. (P:2) _____________

16 Es ist auf andere Weise gelungen [3a], einzelne Atome nachzuweisen. (P:19) _____________

17 Zwischen ihnen spielen sich die chemischen Vorgänge ab. (P:23) _____________

18 Wenn man eine Verbindung immer weiter zu unterteilen sucht, kommt man zu einer bestimmten, endlichen Grenze. (P:24) _____________

C Review the notes on pronunciation on pages 53 and 54 of the Einführung. Then underline the accented syllable in each of the following verbs, taken from the sentences above. Be ready to read aloud the sentences in which they occur, being careful to stress the accented syllable.

1 behalten

4 umgeben

5 gelangen

7 bewegte

10 eingegeben

11 erwirbt

12 geschah, einbüßten

16 gelungen, nachzuweisen

18 unterteilen

Übung B

Name ______________________________________ Datum ___________

A Which of the following **-er** endings indicate comparative, which are case-endings?

1 wunderbar<u>er</u> (1) ___________ 4 weit<u>er</u> (16) ________________

2 weit<u>er</u> (5) ________________ 5 gut<u>er</u> (46) __________________

3 intim<u>erer</u> (11) _____________ ________________

B The gender of a noun is often signaled by its suffix [§9.1] or its derivative formation [§2.5, for example]. Indicate the gender of each of the following nouns by writing the appropriate nominative-singular form of the definite article in the blank provided.

1 _____ Freundschaft (7)

2 _____ Nachbarschaft (9)

3 _____ Bekanntschaft (11)

4 _____ Höflichkeit (12)

5 _____ Freundlichkeit (13)

6 _____ Empfehlung (14)

7 _____ Rufen (21)

8 _____ Lachen (22)

9 _____ Schimpfen (22)

10 _____ Wasser-in-die-Badewanne-laufen-Lassen (22)

11 _____ Singen (23)

12 _____ Pfeifen (23)

13 _____ Wissen (28)

14 _____ Stellung (31)

15 _____ Beobachtung (39)

16 _____ Teilnahmslosigkeit (39)

17 _____ Nachbarin (45)

18 _____ Nachbarlichkeit (46)

19 _____ Gefälligkeit (46)

20 _____ Entschuldigung (50)

C Note that most nouns that end in **-e** and refer to things are feminine. [But read §2.3.] Supply the appropriate definite article for the following nouns.

1 _____ Fernsehantenne (19)

2 _____ Badewanne (22)

3 _____ Waschmaschine (33)

4 _____ Truhe (34)

5 _____ Leopardenjacke (35)

6 _____ Neugierde (38)

7 _____ Weise (52)

D The gender of a noun can often be determined by a careful reading of contextual signals. Look at the text and then mark the gender of each noun given.

1 _____ Instinkt (1)
2 _____ Tatsache (9)
3 _____ Tag (15)
4 _____ Weg (15)
5 _____ Ohr (19)
6 _____ Art (20)
7 _____ Gans (24)
8 _____ Kuchen (24)
9 _____ Markt (25)
10 _____ Wagen (29)
11 _____ Lieferwagen (32) [§16.2]
12 _____ Waschmaschine (33)
13 _____ Haus (33)
14 _____ Schau (43)
15 _____ Kinderwagen (44)
16 _____ Nachbar (54)

E Read §12.1, §12.1.1, §12.1.3, §12.1.5. Then rewrite the following direct questions and commands as indirect discourse.

1 Brät die Nachbarin eine Gans?
Ich frage mich, ob die Nachbarin eine Gans brät.

2 Was für einen Kuchen bäckt die Nachbarin?
Es duftet, und ich möchte wissen, ______________________

____

3 Wen besucht sie?
Die neugierige alte Jungfer sieht die junge Dame in Leopardenjacke zum Hause hereinkommen und fragt sich, ______________

____

4 Besucht sie den jungen Mann, der oben das Appartement hat?
Sie möchte eigentlich wissen, ______________________

____

5 Muß man taub und blind leben?
Die freundliche Hausfrau, die den ganzen Tag allein zu Hause bleibt, fragt sich täglich, ______________________

6 Laß dich nicht mit Leuten aus dem Hause ein!
Aber es ist die Empfehlung dieser Autorin, daß man _________

____

DIE FRAU GILT IM BERUF WENIG

Seit Jahren wird darüber geredet,
seit Jahren ist aber kaum etwas geschehen dagegen,
daß auch in der Berufswelt
der biologische Zustand der Frau zum Maßstab ihres Schicksals gemacht wird.
Die Ausrede,
daß diese Ansicht ja gar nicht genügend bewiesen sei
oder höchstens auf Untersuchungen oder Statistiken von Einzelaspekten beruhe,
kann nun nicht mehr gebraucht werden.
In Hamburg
wurden kürzlich
die Ergebnisse einer bisher in dieser Gründlichkeit und Vollständigkeit nicht existierenden empirischen Untersuchung
zur Situation der erwerbstätigen Frau in der Bundesrepublik
vorgelegt.
Insgesamt wurden fast 7000 Arbeiterinnen und Angestellte
in der Privatwirtschaft
(ausgenommen in der Landwirtschaft)
in den sechs Mitgliedstaaten
der Europäischen Wirtschaftsgemeinschaft
zu Fragen der Arbeits- und Familienverhältnisse interviewt.
Das heißt,
daß die Erhebung schließlich über rund 20 Millionen Arbeiterinnen in der Bundesrepublik, Frankreich, Italien, Belgien, den Niederlanden und Luxemburg Auskunft gibt.
Die wissenschaftliche Leitung in der Bundesrepublik
lag beim Büro für Wirtschafts- und Sozialforschung in Gießen
und bei der Soziologin Professor Helge Pross (Universität Gießen).
Die Ergebnisse für die Bundesrepublik
sind deprimierend:
Die Masse der erwerbstätigen Frauen
konzentriert sich auf der unteren Stufe der Betriebspyramide.

THE CAREER WOMAN HAS A LOWER STATUS

For years people have been talking about it;
however, for years scarcely anything has been done about it: that is,
the fact that in the professional world, too,
woman's biology is made the measure of her destiny.
The excuse
that this view has not been sufficiently proven,
or at most is based upon investigations or statistics of isolated aspects,
can now no longer be used.
In Hamburg
recently
the results of an empirical investigation, which up to now has not been available in this thoroughness and completeness,
on the situation of the working woman in the Federal Republic,
(were) published.
Altogether almost 7000 female factory and office workers
in the private sector
(except in agriculture)
in the six member states
of the European Common Market
(were) interviewed regarding problems of working and family conditions.
That means
that the survey gives information about approximately 20 million female workers in the Federal Republic, France, Italy, Belgium, the Netherlands, and Luxemburg.
The scientific administration in the Federal Republic
was in the hands of the Office for Economic and Social Research in Giessen
and the sociologist, Professor Helge Pross (University of Giessen).
The results for the Federal Republic
are depressing:
The great majority of working women
is concentrated in the lower level of the employee spectrum.

Seit Jahren wird darüber geredet, seit Jahren ist aber kaum etwas geschehen dagegen, daß auch in der Berufswelt der biologische Zustand der Frau zum Maßstab ihres Schicksals gemacht wird. Die Ausrede, daß diese Ansicht ja gar nicht
5 genügend bewiesen sei oder höchstens auf Untersuchungen oder Statistiken von Einzelaspekten beruhe, kann nun nicht mehr gebraucht werden. In Hamburg wurden kürzlich die Ergebnisse einer bisher in dieser Gründlichkeit und Vollständigkeit nicht existierenden empirischen Untersuchung zur Situation
10 der erwerbstätigen Frau in der Bundesrepublik vorgelegt.

Insgesamt wurden fast 7000 Arbeiterinnen und Angestellte in der Privatwirtschaft (ausgenommen in der Landwirtschaft) in den sechs Mitgliedstaaten der Europäischen Wirtschaftsgemeinschaft zu Fragen der Arbeits- und Familienverhältnisse
15 interviewt. Das heißt, daß die Erhebung schließlich über rund 20 Millionen Arbeiterinnen in der Bundesrepublik, Frankreich, Italien, Belgien, den Niederlanden und Luxemburg Auskunft gibt. Die wissenschaftliche Leitung in der Bundesrepublik lag beim Büro für Wirtschafts- und Sozialforschung
20 in Gießen und bei der Soziologin Professor Helge Pross (Universität Gießen).

Die Ergebnisse für die Bundesrepublik sind deprimierend: Die Masse der erwerbstätigen Frauen konzentriert sich auf der unteren Stufe der Betriebspyramide. Obwohl rund 37%
25 aller Berufstätigen Frauen sind, bringen sie nicht einmal ein Viertel der Gesamtverdienstsumme heim. Die Hälfte aller Arbeiterinnen und Angestellten in der Bundesrepublik verdient monatlich nicht einmal 600 DM netto, weitere 25% verdienen maximal 800 DM netto. „Die Frauen", so resümierte Helge
30 Pross die Ergebnisse, „sind nach Status und Verdienst so etwas wie die Gastarbeiter in einer ihnen fremden Gesellschaft, in einer Männergesellschaft."

Revidiert hat die Untersuchung die Gründe für die Sonderstellung der Frau im Beruf nicht, sie hat sie vielmehr be-

8 einer ... Untersuchung = einer empirischen Untersuchung, die bisher in dieser ... nicht existiert
10 die Bundesrepublik = die Bundesrepublik Deutschland = BRD - *Federal Republic of Germany, West Germany*
20 Gießen: Universitätsstadt etwa 65 km nördlich von Frankfurt am Main
24 obwohl - *although*
24 rund - *approximately*
24 37% = siebenunddreißig Prozent
25 der Berufstätige - *worker*
25 nicht einmal - *not even*
26 das Viertel = 25%
26 die Gesamtverdienstsumme - *total earnings*
27 verdienen - *earn*
28 DM = Deutsche Mark
29 maximal - *at the most*
29 resümieren - *summarize*
31 der Gastarbeiter - *foreign laborer*
31 fremd - *foreign*
31 die Gesellschaft - *society*
33 revidieren [§8.1.2.5] - *change*
33 der Grund - *cause, reason*
33 die Sonderstellung - *specific position*
34 sie[1] = die Untersuchung
34 sie[2] = die Gründe für die Sonderstellung der Frau
34 vielmehr - *rather*
34 bestätigen - *confirm*

35 stätigt: ihre bescheidene Stellung und dürftigen Einkünfte
sind zum Teil auch Funktionen des niedrigen Lebensalters und
der vergleichsweise kurzen Betriebszugehörigkeit.
Die Hälfte der Arbeitnehmerinnen hat nur eine Volksschule
absolviert, die andere Hälfte Ausbildungsgänge von meist
40 kurzer Dauer und mäßigem Anspruch. Helge Pross folgert:
„Die Frauen in der Bundesrepublik sind im Durchschnitt ungebildeter als etwa der Durchschnitt der Frauen in Frankreich
und den Benelux-Staaten. Sofern nichts Eingreifendes geschieht, werden bundesdeutsche Frauen die ahnungslosesten
45 bleiben." Skepsis ist auch für die Zukunft angebracht: Trotz
besserer Ausbildung der jüngeren Frauen sind gerade sie nicht
bereit, das Überkommene in Frage zu stellen.
Frauen wenden, verglichen mit Männern, für ihren Beruf
weniger Zeit auf. Sie arbeiten viel weniger an Wochenenden
50 oder am Abend, üben kaum Nacht- oder Schichtarbeit aus,
machen seltener Überstunden, bevorzugen Ordnung, Regelmäßigkeit und Routine. Die Gründe liegen auf der Hand und wurden
durch die Untersuchung erneut bestätigt: Zum einen hat man
Familienpflichten und ist deshalb nicht in der Lage, einen
55 größeren, zusätzlichen Arbeitsaufwand in den Beruf zu investieren, zum anderen besteht aber auch kaum die Bereitschaft
zum Engagement in eintönigen Berufen — in denen nun einmal
die Mehrheit der Frauen tätig ist. Frauen sind also in
ihrem Beruf untergeordnet tätig und schlecht bezahlt.

35 bescheiden - *modest*
35 dürftig - *meager*
35 die Einkünfte *(pl.)* = das Einkommen = der Verdienst
36 das niedrige Lebensalter = die Jugend
37 vergleichsweise - *comparatively*
37 die Betriebszugehörigkeit - *affiliation with a firm (i. e. time to build up seniority)*
38 die Arbeitnehmerin - *female employee*
39 absolvieren - *complete*
39 der Ausbildungsgang - *training program*
39 meist = gewöhnlich
40 die Dauer - *period of time*
40 mäßig - *modest*
40 der Anspruch - *requirements*
40 folgern - *conclude*
41 ungebildet - *uneducated*
42 etwa = zum Beispiel
43 Benelux: Kurzwort aus Belgique (Belgien), Nederland, Luxemburg
43 sofern = wenn
43 sofern nichts Eingreifendes geschieht - *if something drastic doesn't happen*
44 ahnungslos [§4.8.1.1] - *naive*
45 angebracht - *appropriate*
46 sind gerade sie nicht bereit - *they are the very ones who are not willing*
47 das Überkommene - *tradition*
47 in Frage stellen - *question*
48 auf•wenden [§6.1.2] - *devote*
48 vergleichen [lb] - *compare*
50 die Schichtarbeit - *shift work*
51 bevorzugen = vor•ziehen - *prefer*
51 Regelmäßigkeit und Routine - *a regular routine*
52 auf der Hand liegen - *be obvious*
53 erneut = wieder
53 zum einen - *on the one hand*
54 Familienpflichten *(pl.)* - *family duties*
54 deshalb - *therefore*
54 in der Lage sein - *be in a position*
55 zusätzlich - *additional*
55 der Arbeitsaufwand - *expenditure of work*
56 zum anderen - *on the other (hand)*
56 bestehen [§6.2.2] - *exist*
56 die Bereitschaft - *willingness*
57 eintönig - *monotonous*
58 nun einmal = schließlich (15) - *after all*
58 die Mehrheit - *majority*
58 also - *accordingly*
59 untergeordnet [§4.9] - *subordinate*

3b *Industrie und Wirtschaft der DDR*

(Aus einem Lehrbuch über Geographie)

60 Die Deutsche Demokratische Republik ist — verglichen mit Westdeutschland — kleiner an Fläche und Bevölkerungszahl, besitzt jedoch ebenso wie Westdeutschland eine hochentwickelte Industrie und eine leistungsfähige Landwirtschaft. Beide Staaten haben sich aber vollkommen entgegengesetzt entwickelt.
65 Westdeutschland ist wie das Vorkriegsdeutschland ein kapitalistischer Staat. In ihm beherrschen knapp zwei Dutzend großer Konzerngruppen oder Monopole acht Zehntel der gesamten Industrie, während vier Fünftel der Bevölkerung weniger als ein Zehntel des Volksvermögens besitzen. Die Konzern-
70 und Monopolherren versuchen, ihre Macht immer weiter auszudehnen und immer größere Profite auf Kosten der Werktätigen zu erzielen. Unterstützt werden sie dabei durch ausländische, vor allem amerikanische Monopolherren sowie durch die Militaristen. Mit ihrem Macht- und Profitstreben richten sie
75 sich nicht allein gegen das eigene Volk, sondern bedrohen vor allem die sozialistischen Staaten.

Stolz erfüllt uns, wenn wir unsere Deutsche Demokratische Republik mit diesem kapitalistischen Staat vergleichen. Tausende fleißiger Hände haben bei uns seit dem Kriegsende allen
80 Schwierigkeiten zum Trotz eine starke Wirtschaft aufgebaut.

Title: die DDR = die Deutsche Demokratische Republik = Ostdeutschland - *German Democratic Republic (GDR), East Germany*
61 die Fläche - *area*
61 die Bevölkerungszahl - *population*
62 besitzen [4d] - *have, possess*
62 jedoch - *however*
62 ebenso wie - *as well as, like*
62 hochentwickelt - *highly developed*
63 leistungsfähig [-fähig: §9.2.2] - *efficient*
63 die Landwirtschaft - *agriculture*
64 der Staat - *country, national state*
64 vollkommen - *completely*
64 entgegengesetzt - *in opposite directions*
66 ihm: *Antecedent?*
66 knapp - *scarcely, no more than*
66 das Dutzend - *dozen*
67 großer Konzerngruppen: *genitive after* Dutzend. *English: a dozen big conglomerates*
67 gesamt - *total*
69 das Volksvermögen - *national wealth*
70 der Monopolherr - *industrial tycoon*
70 versuchen - *try, attempt*
70 die Macht - *power*
70 aus•dehnen - *expand*
71 der/die Werktätige - *working person*
72 erzielen = erreichen - *achieve*
72 unterstützen [§8.1.2.5] - *support*
73 vor allem - *above all*
73 sowie - *as well as*
74 das Streben - *struggle*
74 sich richten (gegen) - *act (against)*
75 nicht allein = nicht nur
75 das eigene Volk - *their own people*
75 bedrohen - *threaten*
77 der Stolz - *pride*
79 fleißig - *busy, diligent*
79 fleißiger Hände: *genitive after* Tausende. *English: thousands of busy hands*
79 bei uns - *in our country*
80 zum Trotz *(+ dat.) - in spite of: the dative object precedes this phrase* [§15]
80 die Wirtschaft - *economy*

Größer als im Westen waren bei uns die Kriegsschäden. Dazu versuchten die Monopolherren des Westens, uns auf alle mögliche Weise Schaden zuzufügen. So sperrten sie die Lieferungen von Steinkohle, Stahl und anderen wichtigen Rohstoffen, außerdem bemühten sie sich, Fachkräfte abzuwerben. Diesen hinterhältigen Methoden hat unsere Regierung am 13. August 1961 endgültig einen Riegel vorgeschoben. Dem gewaltigen Aufbauwillen unserer im Sozialismus lebenden Werktätigen ist es zu danken, daß unsere Deutsche Demokratische Republik heute zu den ersten zehn Industrieländern der Erde und zu den ersten fünf Industrieländern Europas gehört. Wo die Werktätigen herrschen, gibt es keine Ausbeutung der Menschen mehr durch kapitalistische Monopole und Konzerne, werden keine Völker mehr durch Kriege bedroht.

81 die Kriegsschäden *(pl.)* - *war damage*
82 auf alle mögliche Weise - *in all possible ways*
83 zu•fügen - *bring upon*
83 sperren - *stop*
83 die Lieferung - *delivery*
84 Die Steinkohle - *hard coal*
84 der Rohstoff - *raw material*
85 außerdem - *besides*
85 sich bemühen - *make an effort*
85 die Fachkraft - *expert*
85 ab•werben [5a] - *lure away*
86 hinterhältig - *tricky, dishonest*
86 am 13. August 1961: *On that day, a Sunday, West-Berliners awoke to find that in the night they had been encircled by a wall. One immediate effect was the serious disruption of business, since thousands of East-Berliners who regularly worked in West Berlin could no longer cross the border to go to work. That day found tens of thousands of East Germans in refugee camps in West Berlin. These had come in ever greater numbers in the last few months in anticipation of the drastic move. In the ensuing weeks all the refugees had to go to West Germany by plane.*
87 endgültig - *completely, definitively*
87 der Riegel - *bolt*
87 vor•schieben [2a] - *push*
87 einen Riegel vorschieben *(+ dat.)* - *(figuratively) prevent*
87 Dem gewaltigen Aufbauwillen: *Is this the subject?*
87 gewaltig - *mighty*
88 der Aufbauwille - *will to rebuild*
88 unserer ... Werktätigen *(gen.)* = unserer Werktätigen, die ... leben
89 es ist zu danken - *it is owing to*
91 gehören (zu) - *be one (of)*
92 herrschen - *rule*
92 die Ausbeutung - *exploitation*

QUESTIONS ON THE TEXT

Die Frau gilt wenig

How is the woman in the West German job market characterized?
What has been claimed previously about these assertions?
On what kind of investigation is this article based?
How many women were interviewed?
From what countries?
What kinds of workers were excluded from the study?
Who directed the survey in Germany?
How do West German women compare to the others?
What are some of the statistics which emerged from the study?
To what does the author attribute these facts?
What is Professor Pross's prediction for German working women?
Why does the future look no better than it does?

What picture of "the woman in German society" do you get from the last three pieces you have read?

Was ist die Stellung der deutschen Arbeiterin?
Wo hat man eine Untersuchung der Stellung der arbeitenden Frau gemacht?
Wie viele Frauen wurden interviewt?
Unter hundert deutschen Arbeitern, wie viele sind Frauen, wie viele sind Männer?
Wieviel verdienen diese Frauen?
Welche Gründe gibt der Autor dieses Artikels dafür? Zum Beispiel:
Wie alt sind die meisten Arbeiterinnen?
Bleiben sie gewöhnlich lebenslänglich beim Beruf? (Denken Sie auch an Barbara Bauer!)
Was für eine Ausbildung haben die meisten absolviert?
Hat der Autor dieses Artikels große Hoffnung für die Zukunft?
Warum?

Industrie und Wirtschaft der DDR

How does East Germany compare with West Germany as to area and population?
How do they compare industrially and agriculturally?
Which of the two states is more like Germany before 1945?
How does the East German regard the capitalistic state?
How is the economy of the capitalistic state managed?
What is the role of industry and of the working man?
What has East Germany been able to accomplish since 1945?
Against what odds?
What does East Germany accuse the West of having done to it?
What was its response?
How does East Germany rank among the industrialized countries of Europe and of the world?

(1970 hatte die BRD 61,5 Millionen Einwohner, die DDR ungefähr 20 Millionen. Die BRD ist etwa 2,3 Mal so groß wie die DDR.)
Wie nennen die Ostdeutschen die BRD?
Was für ein Staat ist die DDR?
Was sagt der Ostdeutsche über die Industrie, die Profite, die Werktätigen in einem kapitalistischen Staat?
Worauf kann die DDR stolz sein?
Warum war es den Ostdeutschen besonders schwer, ihr Land wieder aufzubauen?
Wo steht die DDR unter den Industrieländern Europas und der Erde?
Wem ist diese Tatsache zu danken?
Wodurch werden die Werktätigen in einem sozialistischen Land nicht mehr ausgebeutet?
Wodurch werden sie nicht bedroht?

WORDS AND WORD FAMILIES

bedrohen (75, 94)
bereit (47)
    die Bereitschaft (56)
besitzen [4d] (62, 69)
bestätigen (34, 53)
die Bevölkerung -en (68)
    die Bevölkerungszahl (61)
entwickeln (64)
    hochentwickelt (62)
gesamt (67)
    die Gesamtverdienstsumme (26)
geschehen [4b] (2, 43)
die Gesellschaft -en (31)
    die Männergesellschaft (32)
der Grund/Gründe (33, 52)
die Hälfte -n (26, 38, 39)
kaum (2, 50, 56)
nicht einmal (25, 28)
der Schaden/Schäden (83)
    die Kriegsschäden *(pl.)* (81)
der Staat -en (64, 76, 78)
die Stellung -en (35)
    die Sonderstellung (33)
tätig (58, 59)
    erwerbstätig (10)
    der/die Berufstätige [§2.6.1] (25)
    die/die Werktätige (71)
die Untersuchung -en (5, 9, 33, 53)
verdienen (27, 28)
    der Verdienst -e (30)
    die Gesamtverdienstsumme (26)
vergleichen [1b] (48, 60, 78)
    vergleichsweise (37)
versuchen (70, 82)
vor allem (73, 75)
die Wirtschaft (80)
    die Europäische Wirtschaftsgemeinschaft (13)
    die Landwirtschaft (12, 63)
    die Privatwirtschaft (12)
    die Wirtschaftsforschung (19)

Übung A

Name ________________________ Datum ____________

A Underline each form of **werden** in the following sentences and indicate its usage: independent (I), future (F), passive (P). [§10]

_P_ 1 Kathodenstrahlen <u>wurden</u> mit hoher Geschwindigkeit durch dünne Metallschichten geschickt. (P:9)

___ 2 Rutherford fand in einzelnen Fällen, daß ein eingestrahltes α-Teilchen genau in der Einstrahlungsrichtung zurückgeworfen wurde.(P:21)

___ 3 Aus dem materieerfüllten, kugelförmigen Atom der Daltonschen Zeit war ein verwickeltes Gebilde aus Kern und Elektronen geworden. (P:28)

___ 4 Die Ausrede, daß diese Ansicht nicht genügend bewiesen sei, kann nicht mehr gebraucht werden. (M:4)

___ 5 Sofern nichts Eingreifendes geschieht, werden bundesdeutsche Frauen die ahnungslosesten bleiben. (M:43)

___ 6 Unterstützt werden die westdeutschen Monopolherren durch ausländische, vor allem amerikanische Monopolherren sowie durch die Militaristen. [§8.1.2.5] (M:72)

___ 7 Wo die Werktätigen herrschen, gibt es keine Ausbeutung der Menschen mehr durch kapitalistische Monopole und Konzerne, werden keine Völker mehr durch Kriege bedroht. (M:91)

___ 8 Das Zusammenleben von Pflanzen und Tieren in der Natur wurde lange Zeit als etwas Selbstverständliches angesehen. (B:1)

___ 9 In jüngerer Zeit aber wurde deutlich, daß die Kenntnis der Ursachen dieses Zusammenlebens wesentlich zum richtigen Verständnis der lebenden Natur beiträgt. (B:5)

___10 Mein besonderes Interesse gilt trächtigen Hündinnen, die der freudigen Geburt zukünftiger Steuerzahler entgegensehen: ich beobachte sie, merke mir genau den Tag des Wurfes und überwache, wohin die Jungen gebracht werden. (L:14)

___11 So wird man begreifen, daß ich sonntags einen ausgiebigen Spaziergang mit Frau und Kindern und Pluto zu schätzen weiß. (L:45)

___12 Ich bin verloren, und manche werden mich für einen Zyniker halten, aber wie soll ich es nicht werden, da ich dauernd mit Hunden zu tun habe... (L:77)

B Underline all genitive noun phrases in the following sentences and mark each one singular (S) or plural (P). [§1.4 + §4.1-7]

1 Heute ist die Untersuchung des Zusammenlebens [S] von Organismen ein wichtiges Fachgebiet der Biologie [S]. (B:8)

2 Die Ökologie untersucht die Lebensäußerungen der Organismen an ihrem Standort. (B:12)

3 In diesem Abschnitt der Lebensgemeinschaft „Teich" finden wir bestimmte Pflanzen- und Tierarten, die unter entsprechenden Umweltbedingungen in jedem Teich auftreten können. (B:44)

4 Gleiches gilt für das Pflanzen- und Tierleben der übrigen Bereiche. (B:47)

5 Revidiert hat die Untersuchung die Gründe für die Sonderstellung der Frau im Beruf nicht, sie hat sie vielmehr bestätigt. [§8.1.2.5] (M:33)

6 Ihre bescheidene Stellung und dürftigen Einkünfte sind zum Teil auch Funktionen des niedrigen Lebensalters und der vergleichsweise kurzen Betriebszugehörigkeit. (M:35)

7 Die Tabelle gibt uns einen Einblick in die großen Fortschritte der drei Naturwissenschaften. (P:1)

8 Wir bemerken, daß gerade hundert Jahre zwischen der Entdekkung des Gesetzes von der Erhaltung der Masse bei chemischen Reaktionen und der Entdeckung des natürlichen radioaktiven Zerfalls liegen. [§19.2.1] (P:2)

9 Hier fand Bohr durch die Anwendung der gefundenen Quantentheorie eine neue Deutung. (P:35)

10 Als friedlicher Spaziergänger getarnt, rundlich und klein, eine Zigarre mittlerer Preislage im Mund, gehe ich durch Parks und stille Straßen. (L:5)

11 Ich spüre es, wenn ein Köter reinen Gewissens an einem Baum steht und sich erleichtert. (L:13)

12 Ich habe Hunde gern, und so befinde ich mich dauernd im Zustand der Gewissensqual. (L:21)

Übung B

Name ______________________________ Datum __________

A Determine how each of the nouns in the following list is used in the clause in which it appears. If it is used as subject, put a check beside it; otherwise leave it blank.

1 Zustand (3)
2 Ansicht (4)
3 Einzelaspekten (6)
4 Ergebnisse (7)
5 Untersuchung (9)
6 Angestellte (11)
7 Erhebung (15)
8 Auskunft (18)
9 Leitung (18)
10 Masse (23)
11 Viertel (26)
12 Angestellten (27)
13 Verdienst (30)
14 Hälfte (38)
15 Anspruch (40)
16 Familienpflichten (54)
17 Industrie (63)
18 Fünftel (68)
19 Macht (70)
20 Kriegsschäden (81)

B Identify each of the following verb forms and write out its principal parts.

1 geschehen (2) __past participle__

Infinitive	Pres. 3rd Singular	Past	Past participle
geschehen	geschieht	geschah	geschehen

2 bewiesen (5) ______________

____

3 vorgelegt (10) ______________

____

4 lag (19) ______________

____

5 revidiert (33) ______________

____

6 angebracht (45) ______________

____

7 wenden...(48) ______________

____

8 besitzen (69) ____________________

____

9 vergleichen (78) __________________

____

10 abzuwerben (85) _______________

____

C Review the notes on pronunciation on pages 53 and 54 of the Einführung. Then indicate where the stress falls in each of the following verb forms by underlining the accented syllable.

1 vorgelegt (10)
2 resümierte (29) [§9.3.3: Note]
3 absolviert (39)
4 geschieht (43)
5 angebracht (45)
6 bestätigt (53)
7 entwickelt (64)
8 auszudehnen (70)
9 zuzufügen (83)
10 vorgeschoben (87)

4 *Emigration und Widerstand*

Emigration

Die vielen Emigranten, die sich in Wien oder Prag in Sicherheit gewähnt hatten, mußten sich, wenn sie nicht den Selbstmord wählten, wieder auf die Flucht begeben; in Europa blieben für sie nur noch die neutralen skandinavischen Län-
5 der, die Schweiz, Holland, Belgien und Frankreich erreichbar, aber für wie lange noch? Und ließ man sie an der Grenze herein? Im Zweiten Weltkrieg blieben tatsächlich nur die Schweiz und Schweden von einer Besetzung verschont — nur dort waren die Emigranten vor dem Zugriff der SS- und Polizeieinheiten
10 sicher.

Wenn man heute von ,deutscher Emigration' spricht, denkt man zunächst nicht an die unzähligen aus rassischen oder politischen Gründen zur Auswanderung Gezwungenen, sondern an die Künstler, Universitätsprofessoren und Politiker, die im Aus-
15 land das Bild eines anderen, besseren Deutschland zu bewahren wußten. An der Spitze standen diejenigen, die offiziell und mit großer Bekanntmachung ,ausgebürgert' worden waren, weil die Nationalsozialisten ihren Einfluß, auch von jenseits der Grenzen, fürchteten. Anerkannter Repräsentant der Emigration
20 für die, die in ihr die Weiterführung deutscher Kultur sahen und auch heute noch sehen, ist der Schriftsteller und Nobelpreisträger Thomas Mann. Er hat auf die ,Aberkennung' der Ehrendoktorwürde der Universität Bonn mit einem Brief geant-

Title: Emigration und Widerstand: *This reading passage and the one following present two aspects of opposition to the Nazi regime (1933-45).*
1 in Sicherheit - *secure*
2 wähnen = glauben
3 der Selbstmord - *suicide*
3 wählen - *choose*
3 sich auf die Flucht begeben - *flee*
5 erreichbar - *accessible, get-at-able*
6 herein•lassen [7a] - *admit*
6 sie: *Antecedent?*
7 tatsächlich - *actually*
8 die Besetzung - *occupation*
9 der Zugriff - *clutches*
9 die SS = Schutzstaffel - *paramilitary organization of the Nazi party under Heinrich Himmler; also utilized as guards in concentration camps.*
10 sicher (vor + *dat.*) - *safe (from)*
12 zunächst - *first of all*
12 die unzähligen ... Gezwungenen - *those innumerable people who were forced...: Note that the word* Gezwungenen *has a double function: as the noun closing the extended participle construction* [§2.5.3] *and as the participle modified by two prepositional phrases* [§14.1.4].
13 die Auswanderung - *emigration*
14 der Künstler - *artist*
15 bewahren - *preserve*
16 die Spitze - *top*
16 diejenigen, die - *the ones who*
17 die Bekanntmachung - *publicity*
17 aus•bürgern - *denaturalize*
18 der Nationalsozialist = Nazi
18 der Einfluß - *influence*
18 jenseits *(+ gen.)* - *the other side of*
19 anerkannt - *acknowledged*
20 die, die - *those who*
20 ihr: *Antecedent?*
20 die Weiterführung - *continuation*
21 der Schriftsteller - *author*
22 Thomas Mann (1875-1955)
22 die Aberkennung - *retraction*
23 die Ehrendoktorwürde - *honorary doctor's degree*

wortet (1.1.1937), der ein Dokument nationaler Würde und
25 menschlicher Größe im Unglück ist.

Die eigene Regierung verbot wenig später den Deutschen, die bis dahin einen großen Teil der Nobelpreisträger gestellt hatten, den Preis anzunehmen, und stiftete zum ,Trost' und als eine Art Ersatz einen ,Deutschen Nationalpreis für Kunst und
30 Wissenschaft'. Vielen Künstlern, die im Lande geblieben waren, wurde nicht erlaubt, ihren Beruf auszuüben: es erschienen staatliche Kontrolleure in den Ateliers, die festzustellen hatten, daß dort nicht gearbeitet wurde. Eine beschämendere Situation läßt sich im ,Lande der Dichter und
35 Denker' kaum vorstellen.

Die USA nahmen von allen Ländern den größten Flüchtlingsstrom auf. Dorthin sind von 1933-1943 rund 30 000 Angehörige der freien Berufe, Schriftsteller, Wissenschaftler und Künstler, emigriert. Daß ein Volk so radikal von den bedeutend-
40 sten Repräsentanten seiner Kultur getrennt wurde wie in Deutschland, ist in der Weltgeschichte einmalig. Die Folgen für das deutsche Kulturleben werden noch lange zu erkennen sein.

Eine eigene nationalsozialistische Kulturleistung gab es
45 nicht. Dafür hatte Hitlers Propagandaminister Dr. Goebbels immer die Entschuldigung bereit, daß man ja noch in den Anfängen stecke, daß das neue Reich ja für die nächsten tausend Jahre geplant sei und daß erst einmal das Alte ausgemerzt werden müsse. Dabei ist es geblieben.

50 Trotz unaufhörlicher Propaganda, gerade auf dem Gebiet der Kultur, gab es viele Deutsche, die das alles durchschauten und auf den Tag der Freiheit warteten.

24 1.1.1937 [§19.3.1]: *Read:* ersten Januar 1937: *Note that the date is always written in this order:* Tag - Monat - Jahr.
24 die Würde - *dignity*
25 das Unglück - *misfortune*
26 verbot: *Infinitive?*
27 stellen - *make up*
28 an•nehmen [5c] - *accept*
26-28 verbot ..., den Preis anzunehmen
28 stiften - *endow*
28 der Trost - *consolation*
29 die Art - *kind*
29 der Ersatz - *substitute*
30 die Wissenschaft - *science*
31 erlauben - *permit, allow,*
31 es [§5.6]
31 erscheinen [1a] - *appear*
32 der Kontrolleur - *inspector*
32 das Atelier - *studio*
32 fest•stellen - *make sure*
33 beschämend - *shameful*
33 beschämendere: *What do the two endings on this word signify?*
34 läßt sich ... vorstellen [§7.5.2]
36 der Flüchtlingsstrom - *flood of refugees* (der Strom - *large river*)
37 Angehörige der freien Berufe - *professionals*
39 bedeutend - *important*
40 trennen - *separate*
41 einmalig - *unique*
41 die Folge - *consequence*
42 zu erkennen sein - *be apparent*
46 die Entschuldigung - *excuse*
46 bereit - *ready, at hand*
47 stecken (in) - *be, remain (at)*
48 planen - *plan*
48 aus•merzen - *root out*
47-49 stecke, sei, müsse: *Why subjunctive?*
50 un/aufhör/lich
51 durchschauen - *understand*

Immerhin erreichte Hitler für die deutsche Kultur etwas, was sie ohne ihn nie hätte erreichen können: die eigentlichen
55 Schauplätze der deutschen Kultur lagen jetzt nicht mehr in Deutschland, sondern in Wien, Prag, Paris, Amsterdam, Zürich, Stockholm, London, New York. Dort erschienen noch freie Zeitungen und Zeitschriften in deutscher Sprache, dort entstanden deutsche Exilverlage: Fritz Helmut Landshoff eröffnete
60 1933 bei dem Verleger Querido in Amsterdam einen deutschen Querido-Verlag. Er wurde zeitweilig von Klaus Mann beraten, mit dem zusammen er die erste und wohl wichtigste literarische Zeitschrift der Emigration, ,Die Sammlung', herausgab. Hermann Kesten wurde im Mai des gleichen Jahres zum litera-
65 rischen Leiter eines anderen deutschen Exilverlags, Allert de Langes in Amsterdam, bestellt, den ab 1934 Walter Landauer leitete. In diesen beiden Verlagshäusern wurde ein wesentlicher Teil der damaligen deutschen Literatur verlegt, Wichtiges auch im Europa-Verlag Emil Oprechts in Zürich. Im Exil
70 wurden u. a. die Bücher von Thomas und Heinrich Mann, Alfred Döblin, Hermann Broch, Robert Musil, Franz Kafka, Hugo von Hofmannsthal, Bertolt Brecht und, unter beträchtlichen Opfern, von jüngeren und weniger bekannten Schriftstellern veröffentlicht. Über die Literatur in der Emigration gibt es heute
75 eine Bibliographie, die mehr als zehntausend Titel aufweist. Direkt und indirekt berichtet sie über Mut und Tapferkeit,

53 immerhin - *nevertheless*
54 hätte erreichen können [§7.4.3] - *could have achieved*
55 der Schauplatz - *scene of action*
58 die Zeitschrift - *periodical, magazine*
58 entstehen [§6.2.2] - *come into existence*
59 der Exilverlag - *publishing house specializing in exile literature*
59 eröffnen - *establish*
60 der Verleger - *publisher*
61 zeitweilig - *occasionally*
61 Klaus Mann (1906-1946), Sohn von Thomas Mann
61 beraten [7a] - *advise*
63 die Sammlung - *collection*
64 Hermann Kesten (1900-), Schriftsteller und Verleger
66 wurde ... (zu) bestellt - *was appointed (as)*
66 ab 1934 - *from 1934 on*
67 wesentlich - *essential*
68 damalig - *of that time*
70 u. a. = unter anderen - *among others*
70 Heinrich Mann (1871-1950), Bruder von Thomas Mann, auch ein bedeutender Schriftsteller
70 Alfred Döblin (1878-1957), Schriftsteller
71 Hermann Broch (1886-1951), österreichischer Schriftsteller, in New Haven gestorben
71 Robert Musil (1880-1942), österreichischer Dichter und Schriftsteller, in Genf gestorben
71 Franz Kafka (1883-1924), jüdischer Schriftsteller
71 Hugo von Hofmannsthal (1874-1929), österreichischer Dichter und Schriftsteller
72 Bertolt Brecht (1898-1956), Dramatiker, in Ostberlin gestorben
72 beträchtlich - *considerable*
72 das Opfer - *sacrifice*
73 veröffentlichen - *publish*
75 auf•weisen [1a] - *present, offer*
76 der Mut - *courage*
76 die Tapferkeit - *bravery*

aber auch über das Ausmaß an Leid und Not, das hinter dem Wort ‚Emigration' steht.

Der Begründer der Psychoanalyse, Sigmund Freud, mußte 1938
80 von Wien nach London fliehen, der Physiker Albert Einstein, in Ulm geboren, lehrte in Amerika. Der Anteil des deutschen Judentums an der deutschen Kultur, bis Hitler kam, als glückliche Symbiose empfunden, bekundet sich an den elf jüdischen oder der Abstammung nach teilweise jüdischen Nobelpreisträ-
85 gern von insgesamt achtunddreißig bis 1933, die also fast ein Drittel ausmachten, bei einem jüdischen Bevölkerungsanteil von knapp einem Hundertstel!

Universitätsprofessoren, die emigrieren mußten, fanden hin und wieder Lehrstühle auch in kleineren Ländern. Dort ent-
90 standen dann, wie etwa in Ankara, Zellen deutscher Kultur — bespitzelt von einer Auslandsorganisation der NSDAP, die zunächst zur Beaufsichtigung der deutschen Diplomaten und zur Propaganda im Ausland geschaffen worden war und jetzt ihre Beobachtungen über Emigranten nach Berlin melden mußte.

77 das Ausmaß (an) - *excess (of)*
77 das Leid - *suffering*
77 die Not - *need*
79 der Begründer - *founder*
79 Sigmund Freud (1856-1939)
80 der Physiker - *physicist*
80 Albert Einstein (1879-1955)
81 Ulm an der Donau: süddeutsche Stadt zwischen Stuttgart und München
81 der Anteil (an + *dat.*) - *participation (in)*
82 das Judentum - *Jewish community*
83 empfinden [3a] - *feel, perceive*
83 sich bekunden (an + *dat.*) - *be demonstrated (by)*
84 der Abstammung nach [§15 + §18.6.2] - *by ancestry*
84 teilweise - *partially*
85 insgesamt - *altogether*
85 also - *thus*
85 fast = beinahe
86 der Bevölkerungsanteil - *fraction of the population*
87 knapp - *scarcely, hardly*
88 hin und wieder - *here and there*
89 der Lehrstuhl - *professorship*
90 etwa = zum Beispiel
90 die Zelle - *nucleus*
91 bespitzeln - *spy upon*
91 die NSDAP = die Nationalsozialistische Deutsche Arbeiterpartei
92 die Beaufsichtigung - *supervision*
93 geschaffen worden war - *had been created*
94 die Beobachtung - *observation*
94 melden = berichten - *report*

QUESTIONS ON THE TEXT

What period of time is the setting for this passage?
What two choices did refugees from Nazi Germany who fled to Vienna or Prague have?
Why were these two cities no longer safe?
What often happened to refugees at borders?
What countries were safe for them during the entire World War II?
What kinds of people emigrated from Nazi Germany?
What did these emigrants do for German culture abroad?
What did the Nazis do to the most prominent emigrants?
Who was one of the most famous?
What had he received from the University of Bonn?
What did this university do under pressure from the Nazis?
How did Mann respond?
What did the Nazis forbid Nobel Prize winners to do?
What did they offer to make up for it?
How did they treat artists?
How many came to the United States?
Can you name any who are not named in this article?
What was particularly tragic for Germany about this flow of refugees?
What cultural developments took place in Germany at this time?
What excuses did Propaganda Minister Goebbels give for this?
How did the Nazis try to replace real cultural developments?
What was the resultant effect on the people?
What cultural change did Hitler effect?
What cities were especially well known as centers of exile culture?
How many German books were published in exile?
What was the percentage of Jews living in Germany before Hitler?
What percentage of German Nobel Prize winners had been Jews?
Where did university professors often go?
What were they subjected to during the Nazi years?

Wo hatten sich viele Emigranten in Sicherheit gewähnt?
Was mußten sie jetzt tun?
Welche Länder Europas sollten zur Zeit des Zweiten Weltkriegs neutral sein?
Wie viele von diesen Ländern konnten ihre Neutralität erhalten, d. h. wie viele wurden nicht überrannt?
Welche Emigranten waren die Träger der alten deutschen Kultur im Ausland?
Was haben die Nazis den bekanntesten von diesen getan?
Warum haben sie das getan?
Was hatte Thomas Mann von der Universität Bonn bekommen?
Was hatte die Universität unter der nationalsozialistischen Regierung getan?
Wie hat Thomas Mann darauf geantwortet?
Wer hatte bis zur Nazizeit einen großen Teil der Nobelpreise bekommen?
Was wurde ihnen unter den Nazis nicht erlaubt?
Was durften viele Künstler nicht tun?
Wohin wanderten viele Flüchtlinge aus?
Was für Berufe hatten die meisten dieser Flüchtlinge?
Was für Folgen hatte diese Emigration für das deutsche Kulturleben?
Was mußten die Nationalsozialisten tun, bevor eine neue deutsche Kultur aufgebaut werden konnte?
Worauf warteten aber viele Deutsche?
Wo wurden die bedeutendsten Bücher herausgegeben — in Deutschland oder im Ausland?
In welchen Städten waren die wichtigsten Exilverlage?
Wie viele Bücher wurden in diesen Jahren im Ausland veröffentlicht?
Wie viele deutsche Juden waren in den Jahren bis 1933 Nobelpreisträger gewesen?
Was war der Prozentsatz der Juden in Deutschland vor Hitler?
Was entstand um Emigranten in kleineren Ländern?
Von wem wurden sie beaufsichtigt und bespitzelt?

WORDS AND WORD FAMILIES

die Beobachtung -en (94)
eigen (26, 44)
der Einfluß/-flüsse (18)
emigrieren (39, 88)
    der Emigrant -en (1, 9, 94)
    die Emigration (11, 19, 63)
entstehen [§6.2.2] (58, 89)
erreichen (53, 54)
    erreichbar (5)
erscheinen [1a] (31, 57)
fliehen [2a] (80)
    die Flucht (3)
    der Flüchtling -e
    der Flüchtlingsstrom (36)
geben [4a]: es gibt (44, 51, 74)
die Grenze -n (6, 19)
knapp (87)
der Künstler - (14, 30, 38)
leiten (67)
    der Leiter - (65)
der Preis -e (28)
    der Nobelpreisträger - (22, 84)
    der Nationalpreis (29)
der Schriftsteller - (21, 38, 73)
sicher (vor + *dat.*) (10)
    die Sicherheit (1)
der Verlag -e (61, 69)
    der Exilverlag (59, 65)
    das Verlagshaus/-häuser (67)
    verlegen (68)
    der Verleger - (60)
die Wissenschaft -en (30)
    der Wissenschaftler - (38)
die Zeitschrift -en (58, 63)
zunächst (12, 92)

Übung A

Name -- Datum -------------

A Some of the following sentences contain extended adjective constructions, some do not. Examine each one and underline the noun which the s p a c e d modifier modifies. [§14.2 and page 92 of the Einführung]

1 Mendel führte s e i n e ersten und grundlegenden Versuche mit Erbsen durch. (B:27)

2 D i e in den Kesselhäusern von Turbinenanlagen durch Verbrennen von Kohle gewonnene Wärmeenergie wird in den Turbinen in mechanische Energie umgewandelt. (P:2)

3 Die Geiseln wurden von Maschinengewehren so kunstgerecht umgemäht, daß sie sofort in d i e lange, von ihnen selbst ausgehobene Grube fielen. (L:49)

4 D i e folgenden Grundbegriffe der Vererbungsforschung muß man zum Erkennen der Gesetzmäßigkeiten beherrschen. (B:30)

5 In e i n e m mit Wasser gefüllten Kalorimeter wird ein mechanisches Rührwerk mit Hilfe von zwei absinkenden Gewichtsstücken in Umdrehung versetzt. (P:30)

6 Werden z w e i reinerbige, in bezug auf ein oder mehrere Merkmalspaare unterschiedliche Organismen gekreuzt, so sind bei gleichen äußeren Bedingungen die Nachkommen in der F_1-Generation einheitlich im Phänotypus gestaltet. (B:98)

7 Durch w e i t e r e, immer genauer durchgeführte Versuche wurde die gefundene Tatsache bestätigt. (P:51)

8 Wenn man heute von ‚deutscher Emigration' spricht, denkt man zunächst nicht an d i e unzähligen aus rassischen oder politischen Gründen zur Auswanderung Gezwungenen, sondern an die Künstler, Universitätsprofessoren und Politiker, die im Ausland das Bild eines anderen, besseren Deutschland zu bewahren wußten. (M:11)

9 Manchmal sprachen wir auch über Politik, und er konnte sich über alles maßlos erregen, was auch nur d e n geringsten Anruch von Gewalt hatte. (L:25)

10 D i e im Zellkern liegenden Erbanlagen werden als Genotypus bezeichnet. (B:57)

B Each of the following sentences has conditional inversion [§11.4]. Rewrite each one, using the conjunction **wenn**.

1 Wird ein fahrender Zug gebremst, so werden dadurch die Bremsklötze und die Räder heiß. (P:6)

Wenn ein fahrender Zug gebremst wird, so werden dadurch die Bremsklötze und die Räder heiß.

2 Werden zwei reinerbige, in bezug auf ein oder mehrere Merkmalspaare unterschiedliche Organismen gekreuzt, so sind bei gleichen äußeren Bedingungen die Nachkommen in der F_1-Generation einheitlich im Phänotypus gestaltet. (B:98)

3 Bildet man die Summe von mechanischer Energie und Wärmeenergie, so ist diese Energiemenge ebenso groß wie die aufgewandte elektrische Energie. (P:77)

4 Waren wir bei ihnen eingeladen, konnten wir uns aufmerksamere Gastgeber nicht wünschen. (L:27)

5 Wiederholt man den Vorgang mehrere Male nacheinander, so tritt eine gut meßbare Temperaturerhöhung ein. (P:37)

Übung B

Name ________________________________ Datum ____________

A Each of the following forms of **der, die, das** occurs immediately following a comma. A few are definite articles, most are relative pronouns. Look at each one in context. If it is a definite article, write the noun it modifies in the blank provided; if it is a relative pronoun, write its antecedent.

1 die (1) ________________ 9 die (32) ________________

2 die (5) ________________ 10 die (51) ________________

3 die (14) ________________ 11 den (66) ________________

4 die (16) ________________ 12 das (77) ________________

5 die (20) ________________ 13 der (80) ________________

6 der (24) ________________ 14 die (85) ________________

7 die (26) ________________ 15 die (88) ________________

8 den (28) ________________ 16 die (91) ________________

B Select three of the relative clauses in the passage and rewrite them as independent sentences,

a) using the personal pronoun which corresponds to the relative pronoun; and

b) using the antecedent of the relative pronoun in your new sentence; be sure that you change the case of the antecedent if necessary to fit the use in the independent sentence. [§13.2]

1 die (1)

a) Sie hatten sich in Wien oder Prag in Sicherheit gewähnt.

b) Viele Emigranten hatten sich in Wien oder Prag in Sicherheit gewähnt.

2

a) ____

b) ____

3

a) ____

b) ____

4

a) ____

b) ____

C Look at each of the following forms of **werden** and indicate whether it is used as an independent verb (I), in a future verb phrase (F), or in a passive verb phrase (P).

1 worden (17) ______
2 wurde (33) ______
3 wurde (40) ______
4 werden (42) ______
5 werden (49) ______
6 wurde (61) ______
7 wurde (64) ______
8 wurde (67) ______
9 worden (93) ______

D The verb **sein** may be used either independently or in a perfect verb phrase. [§7.4.2] Indicate for each of the following occurrences of **war/waren** whether is is used independently (I) or in a past perfect verb phrase (P.Perf.)

1 waren (8) ________
2 waren (17) ________
3 waren (31) ________
4 war (93) ________

E Translate the following phrases into English:

1 ‚ausgebürgert' worden waren (17)

____

2 getrennt wurde (40)

____

3 wurde von Klaus Mann beraten (61)

____

4 geschaffen worden war (93)

____

Widerstand

Bis 1945 sprachen die Emigranten auch stellvertretend für jene Wissenschaftler und Künstler zur freien Welt, die in Deutschland selbst Widerstand leisteten oder dort von den Nationalsozialisten umgebracht oder in Konzentrationslager
5 verschleppt worden waren. So darf auf dem Gebiet der Kultur innerer Widerstand und Emigration zusammen betrachtet werden. Beiden ist zu verdanken, daß nach Hitler überhaupt noch von ‚deutscher Kultur' gesprochen werden kann.

Trotz aller Propaganda nahm das kulturelle Leben im Drit-
10 ten Reich nicht völlig jene Züge an, die die Machthaber ihm aufprägen wollten. Die großen Theater boten noch glänzende Aufführungen, die bedeutenden Orchester spielten noch ausgezeichnet — aber das Programm war reglementiert und diktiert: Ein heimlicher Kampf gegen die politische Bevormundung spiel-
15 te sich oft hinter den Kulissen ab. Der Widerstand des aufmerksamen Publikums begann im kleinen: in der Auswahl der Buchlektüre, des Konzertprogramms, der Theatervorstellung, des Zeitungsabonnements. Einige wenige Zeitungen und Zeitschriften ließen die Leser einen anderen Text zwischen den
20 Zeilen lesen. Schriftsteller und Journalisten entwickelten darin geradezu eine Kunstfertigkeit und die Leser, die Gegner des Regimes waren, ein entsprechendes Verstehen.

Spät erst hat die Mehrheit der Deutschen, hat auch das Ausland etwas von dem Widerstand erfahren, der im Inneren des

1 stellvertretend - *as representatives*
2 jene..., die - *those...who*
3 Widerstand leisten - *offer resistance, resist*
4 um•bringen [§6.1.2] - *kill*
4 das Konzentrationslager - *concentration camp:* in Konzentrationslager - *to concentration camps*
5 verschleppen - *carry off*
6 innerer Widerstand - *resistance within Germany*
7 (es) ist zu verdanken (+ *dat.*) - *it is owing to*
7 überhaupt - *at all*
9 an•nehmen [5c] - *assume, take on*
9 das Dritte Reich: *The first empire was the Holy Roman Empire (962-1806); the second was the empire of the Hohenzollern (1871-1918). The third was Hitler's Empire (1933-1945).*
10 der Zug - *feature*
10 der Machthaber - *ruler, dictator*
11 auf•prägen - *stamp, impress on*
11 bieten [2a] - *offer*
11 glänzend - *brilliant*
12 die Aufführung - *performance*
12 ausgezeichnet - *excellent*
14 heimlich - *secret*
14 der Kampf (gegen) - *struggle (against)*
14 die Bevormundung - *regimentation*
14 sich ab•spielen = statt•finden - *take place*
15 die Kulisse - *back-drop (theater):* hinter den Kulissen - *behind the scenes*
15 aufmerksam - *attentive*
16 die Auswahl - *choice*
17 die Buchlektüre - *reading matter*
17 die Vorstellung = die Aufführung (12)
18 das Abonnement - *subscription*
20 die Zeile - *line (of print)*
21 geradezu - *downright, sheer*
21 die Kunstfertigkeit - *cunning*
21 Leser, die: *Is die a definite article with* Gegner? [§13.1.3]
21 der Gegner - *opponent:* Gegner: *Singular or plural?*
22 entsprechen [5a] - *correspond*
23 erst - *only, not until*
23 die Mehrheit - *majority*
24 erfahren [6a] - *find out*

25 Reiches geleistet wurde; denn bereits wer ‚etwas wußte', war dem Konzentrationslager nahe.

Nach den Aufzeichnungen des Reichsjustizministeriums, dem sogenannten ‚Mordregister', sind von 1933 bis 1944 insgesamt 11 881 Todesurteile durch die Justizbehörden vollstreckt wor-
30 den, die bis zur Kapitulation wahrscheinlich auf etwa 12 500 Hinrichtungen angestiegen sind. Hinzu kommen die unzähligen Opfer der Militärgerichtsbarkeit (Standgerichte), die von Sachkennern für die vier Monate des Jahres 1945 auf 7000-8000 geschätzt werden. Es handelt sich hier im wesentlichen um
35 politische Verurteilungen. Insgesamt darf man die Zahl der nach einem Urteil Hingerichteten auf etwa 32 500 schätzen. Man darf heute schätzen, daß bis zum Kriegsausbruch rund eine Million Menschen wegen ihrer oppositionellen Haltung von der Gestapo verhaftet wurden. Von Hunderttausenden hat man nie
40 wieder etwas gehört. Sie sind mit großer Wahrscheinlichkeit umgekommen.

„Im Kampf um seine Freiheit, im Kampf gegen Hitler, opferte unser Volk mehr als eine Armee Menschen." (Günther Weisenborn, Der lautlose Aufstand, 1953)
45 Die Opposition gegen das NS-Regime ging quer durch alle Weltanschauungen, quer durch alle Berufe. Widerstandskämpfer kamen aus der politisch verfolgten Linken: aus den Kreisen der Kommunisten, der Sozialdemokraten und Gewerkschaftler; aus den christlichen Konfessionen, aus Militär, Politik, Adel und Di-
50 plomatie; auch einzelne Studenten, Intellektuelle und Künstler organisierten Widerstandsgruppen, um der Schmach der Diktatur ein Ende zu bereiten. Da gab es, um nur ein Beispiel zu nennen, jene Studenten, die im Februar 1943 in der Münchner Uni-

25 bereits = schon
25 wer [§5.5.1] - *whoever*
27 nach [§18.6.2]
27 die Aufzeichnung - *record*
28 sogenannt - *so-called*
28 der Mord - *murder*
29 der Tod - *death;* das Urteil - *sentence*
29 die Behörde - *authority*
29 vollstrecken - *carry out*
30 etwa = ungefähr
31 die Hinrichtung - *execution*
31 an•steigen [1a] (auf + *acc.*) - *rise (to)*
31 hinzu - *in addition to this*
31 unzählig - *innumerable, countless*
32 das Opfer - *victim*
32 die Militärgerichtsbarkeit - *military justice*
32 das Standgericht - *military court*
33 der Sachkenner - *expert*
34 schätzen (auf + *acc.*) - *estimate (at)*
34 es handelt sich (um) - *it is a question (of)*
35 die Verurteilung - *sentencing*
36 Urteil (29)
36 der/die Hingerichtete [§2.6.3] - *the person executed: What two functions does this word have in the sentence?*
38 wegen (+ *gen.*) - *because of*
38 die Haltung - *attitude*
39 die Gestapo = die Geheime Staatspolizei (geheim - *secret*)
39 verhaften - *arrest*
41 um•kommen - *perish, die*
42 der Kampf (um) - *struggle (for)*
42 opfern - *sacrifice*
44 lautlos - *soundless, silent*
44 der Aufstand - *revolt*
45 NS = Nationalsozialismus
45 quer gehen (durch) - *cut (through)*
46 die Weltanschauung - *ideology*
47 verfolgen - *persecute*
47 der Kreis - *circle*
48 der Gewerkschaftler - *trade unionist*
49 die Konfession - *denomination*
49 der Adel - *aristocracy*
51 um [§18.7.5]
51 die Schmach - *outrage, humiliation*
52 ein Ende bereiten (+ *dat.*) - *put an end to*

versität Flugblätter ausstreuten, unterschrieben ‚Die weiße
55 Rose'. Auf ihren Inhalt stand die Todesstrafe — sie wußten
es. „Sie fochten mit ihrem armseligen Vervielfältigungsapparat gegen die Allgewalt des Staates ... Hätte es aber im deutschen Widerstand nur sie gegeben, die Geschwister Scholl und
ihre Freunde, so hätten sie allein genügt, um etwas von der
60 Ehre des Menschen zu retten, welcher die deutsche Sprache
spricht." (Golo Mann)

Die Welt konnte von diesem Widerstand zunächst keine Kenntnis haben. Auch die deutschen Emigranten glaubten, allein
dazustehen, und waren deshalb schon subjektiv im Recht, wenn
65 sie sich als einzige Hüter eines wahren Deutschlands betrach-
teten; doch wenn Nachrichten über den inneren Widerstand nach
außen drangen, dann bestärkten sie die Flüchtlinge im Aus-
harren. Die Opfer, die beide Gruppen gebracht hatten, setzten
1945 den Maßstab für die geistigen und politischen Kräfte
70 eines vom Nationalsozialismus befreiten Deutschland.

54 das Flugblatt - *leaflet, pamphlet*
54 aus·streuen - *distribute*
54 unterschreiben [1a] - *sign*
55 der Inhalt - *contents*
55 die Strafe - *penalty*
56 fechten [2e] - *fight*
56 armselig - *miserable, pitiful*
56 der Vervielfältigungsapparat - *duplicating machine*
57 die Allgewalt - *omnipotence*
58 die Geschwister Scholl: Hans (1918-1943) und Sophie (1921-1943)
59 ihre Freunde: der bekannteste war der Musikwissenschaftler Professor Kurt Huber (1893-1943)
60 die Ehre - *honor*
60 retten - *save*
60 welcher = der: *Antecedent?*
61 Golo Mann (1909-), bedeutender Historiker, Sohn von Thomas Mann
62 die Kenntnis - *knowledge*
64 deshalb - *therefore*
64 im Recht sein - *have justice on one's side*
65 einzig - *only, sole*
65 der Hüter - *guardian*
66 die Nachrichten *(pl.)* - *news*
66 der innere Widerstand (6)
67 dringen [3a] - *break through*
67 sie: *Antecedent?*
67 aus·harren - *persevere*
68 das Opfer - *sacrifice*
69 der Maßstab - *yardstick, standard*
69 geistig - *intellectual*

QUESTIONS ON THE TEXT

What did some scientists and artists do during these years?
What happened to some of them?
What two aspects of opposition to Nazism have to be considered together?
What do we owe to these two movements?
Did the Nazis succeed in the nazification of German culture?
How did the public express its scepticism of offerings?
How did various journalists express their resistance?
How did the Nazis keep the world from realizing the full scope of the resistance?
How many Germans were condemned to death by civil courts in the period 1933-44?
How many by military courts in January to April, 1945?
Why did the killing stop then?
On what basis were these people sentenced to death?
Approximately how many were arrested by the Gestapo?
From what parties and groups came the resistance?
What was "die weiße Rose"*?*
How did the historian Golo Mann rate the contribution of this group to the resistance?
How much did the rest of the world, including the German exiles, realize of the resistance movement?
What contribution did both groups make to the development of Germany since 1945?

Für welche zwei Gruppen sprachen die Emigranten bis 1945?
Warum konnten die Widerstandskämpfer nicht für sich selbst sprechen?
Was konnte man trotz aller Propaganda immer noch sehen und hören?
Wo fand der Kampf gegen die Machthaber statt?
Wie wurde er geführt?
Wie fing der Widerstand des Publikums an?
Wer hat wohl mehr Todesurteile vollstreckt: die Standgerichte oder die Justizbehörden?
Welche Gruppen haben den Nazis Widerstand geleistet?
Was war „die weiße Rose"?
Was war das „Verbrechen" dieser Gruppe?
Welche Gruppe betrachtete sich als einzige Repräsentanten der wahren deutschen Kultur?
Was hat beim Wiederaufbau Deutschlands geholfen?

WORDS AND WORD FAMILIES

deshalb (64)
hin•richten (36)
    die Hinrichtung -en (31)
insgesamt (28, 35)
der Kampf/Kämpfe (14, 42)
    der Widerstandskämpfer - (46)
das Opfer - (32, 68)
    opfern (42)
das Reich -e (10, 25)
schätzen (34, 36, 37)
der Tod:
    das Todesurteil (29)
    die Todesstrafe (55)
um ... zu (51, 52)
um•bringen [§6.1.2] (4)
    um•kommen [5d] (41)
das Urteil -e (36)
    das Todesurteil (29)
    die Verurteilung -en (35)
wahrscheinlich (30)
    die Wahrscheinlichkeit (40)
der Widerstand (15, 24, 62)
    Widerstand leisten (3, 24)
    innerer Widerstand (6, 66)
    der Widerstandskämpfer - (46)
    die Widerstandsgruppe -n (51)
die Zahl -en (35)
    unzählig (31)

Übung A

Name -- Datum -------------

A Indicate the case and number of each of the underlined nouns in the following sentences. (NS=nominative singular; NP=nominative plural; AS=accusative singular; DP=dative plural, etc.) [§1, §3, §4] (There are no genitives among the underlined nouns.)

1 Bis 1945 sprachen die Emigranten auch stellvertretend für jene Wissenschaftler [AP] und Künstler zur freien Welt, die in Deutschland selbst Widerstand leisteten oder dort von den Nationalsozialisten [DP] umgebracht oder in Konzentrationslager [AP] verschleppt worden waren. (M:1)

2 Die großen Theater boten noch glänzende Aufführungen, die bedeutenden Orchester spielten noch ausgezeichnet. (M:11)

3 Widerstandskämpfer kamen aus der politisch verfolgten Linken: aus den Kreisen der Kommunisten, der Sozialdemokraten und Gewerkschaftler.... (M:46)

4 Bei weiteren Versuchen mit einer F_3-Generation zeigt sich, daß die dominierenden Merkmale der F_2-Generation zu einem Drittel reinerbig und zu zwei Dritteln Hybride sind. (B:29)

5 Bei der Vererbung werden nicht Merkmale, sondern entsprechende Anlagen an die Nachkommen weitergegeben. (B:47)

6 Für Tiere gelten die gleichen Gesetze wie für Pflanzen. (B:63)

7 Die Elektronen bewegen sich auf ihren Bahnen ohne Strahlung. (P:3)

8 Durch die Absorption eines Lichtquants wird das Elektron von einer inneren auf eine äußere Bahn gehoben. (P:8)

9 Nach seiner Stellung im Periodensystem hat das Natriumatom ein Elektron. (P:50)

10 Der Mann, der eben mit sichtlichem Behagen den zweiten Löffel zum Munde führte, hielt in der Bewegung inne. (L:67)

11 Sie aßen die Teller leer. (L:116)

12 Der Blick der Frau legte sich auf die Geldtasche, wie eine Hand. (L:120)

B The following sentences are all in the past. Rewrite them in the present.

1 Die Wissenschaftler und Künstler wurden umgebracht oder in Konzentrationslager verschleppt. (M:2)

----

2 Einige Zeitungen ließen die Leser einen anderen Text zwischen den Zeilen lesen. (M:18)

----

3 In der F_2-Generation traten neben den dominierenden auch die rezessiven Merkmale rein auf. (B:26)

----

4 Es ergab sich hier ein angenähertes Verhältnis von 3:1. (B:27)

----

5 Sommerfeld erklärte diese Tatsache dadurch, daß er neben den erlaubten Kreisbahnen des Bohrschen Modells auch erlaubte Ellipsenbahnen annahm. (P:16)

----

6 Sie schob sich hinein, und er setzte sich neben sie. (L:9)

----

7 Die Frau trug einigen Schmuck, und beide sahen ein bißchen aus wie Kinder,... (L:18)

Übung B

Name ______________________________________ Datum ____________

A The following sentences are in the past. Rewrite them in the perfect. [§7.4.1, §7.4.2]

1 Die Nazis brachten viele Wissenschaftler und Künstler um.

____

____

2 Ein heimlicher Kampf spielte sich hinter den Kulissen ab.

____

____

3 Schriftsteller entwickelten darin geradezu eine Kunstfertigkeit.

____

____

4 Die Todesurteile stiegen bis 1945 auf etwa 12 500 an.

____

5 Hunderttausende kamen wahrscheinlich um.

____

6 Die Opposition gegen das NS-Regime ging quer durch alle Weltanschauungen.

____

____

B The following sentences are in the passive. Rewrite them in the active, using **man** + inflected verb if no agent is expressed. [§10.3 and pp. 39-40, Einführung]

1 Auf dem Gebiet der Kultur darf innerer Widerstand und Emigration zusammen betrachtet werden.

____

____

2 Die Opfer der Standgerichte werden von Sachkennern für die vier Monate des Jahres 1945 auf 7000-8000 geschätzt.

____

____

3 Bis zum Kriegsausbruch wurden rund eine Million Menschen wegen ihrer oppositionellen Haltung von der Gestapo verhaftet.

----

4 Von 1933 bis 1944 sind insgesamt 11 881 Todesurteile durch die Justizbehörden vollstreckt worden.

C Answer the questions in the footnotes:

1 Leser, die (21): Is **die** a definite article or a relative pronoun?

----

2 Gegner (21): Singular or plural? ------------------

3 Hingerichteten (36): What two functions does this word have? (See Unit 4, line 13.)

a) --

b) --

4 sie (67): Antecedent? --------------------

Mit 20 Jahren, wenn der Schweizer männlichen Geschlechtes handlungs- und wehrfähig wird, erlangt er auch das Stimm- und Wahlrecht. Einige Kantone setzen allerdings das passive Wahlrecht, die Wählbarkeit in die gesetzgebende und in die Regierungsbehörde höher an, auf das 25. oder 27. Lebensjahr, statt auf das 20. wie der Bund. Als im 19. Jahrhundert die radikale Partei, deren Werk der Bundesstaat im wesentlichen war, ihre großen Erfolge erzielte, wurden manche ihrer Führer in sehr jungen Jahren in hohe Ämter gewählt. Seither hat sich das geändert und es wird mehr Gewicht auf Lebenserfahrung und Erprobung gelegt. Doch ist auch heute noch das jüngste Mitglied des Nationalrates anläßlich seiner Wahl wenig mehr als 30 Jahre alt gewesen, und der Durchschnitt, besonders in den Gerichten, liegt unter dem Englands und Amerikas. In den Vereinigten Staaten haben fast alle Richter des obersten Bundesgerichtes das 70. Lebensjahr überschritten, in der Schweiz beträgt der Altersdurchschnitt im Bundesgericht 60 Jahre.

Nicht stimm- und wahlberechtigt sind sowohl in den eidgenössischen als in den kantonalen und kommunalen Angelegenheiten die Personen, denen der Wohnkanton aus besonderen Grün-

Titel: das Stimm- und Wahlrecht: das Stimmrecht - *right to vote in a referendum;* das Wahlrecht - *right to vote in an election*
1 das Geschlecht - *sex*
1 männlichen Geschlechtes [§1.4.1 + §4.7]
2 handlungs- und wehrfähig [§19.2.2]
2 handlungsfähig - *capable of making a contract*
2 wehrfähig - *capable of bearing arms*
2 erlangen - *achieve, acquire*
3 an·setzen - *fix, set*
3 allerdings - *to be sure, it is true*
3 das passive Wahlrecht - *right to be elected*
3 die Wählbarkeit - *eligibility (for election to office)*
4 die gesetzgebende Behörde - *the legislative branch*
4 die Regierungsbehörde - *the executive branch*
5 höher [§4.8.1.3] - *higher*
5 25. / 27. / 20. [§19.3.1]
6 der Bund: Zusammenschluß von Staaten (wie in den Vereinigten Staaten), von Ländern (wie in der Bundesrepublik Deutschland oder in Österreich) oder von Kantonen (wie in der Schweiz)
7 deren - *whose*
7 das Werk - *work, achievement*
7 der Bundesstaat = die nationale Regierung
8 der Erfolg - *success*
8 erzielen - *achieve*
9 das Amt - *office*
9 wählen (in + *acc.*) - *elect (to)*
9 seither - *since that time*
9 sich ändern - *change*
10 es [§5.6]
10 (das) Gewicht legen (auf + *acc.*) - *stress*
10 die Erfahrung - *experience*
10 die Erprobung - *reliability*
11 das Mitglied - *member*
12 der Nationalrat - *lower house of the legislative body*
12 anläßlich (+ *gen.*) - *on the occasion of*
12 die Wahl - *election*
13 das Gericht - *court*
15 der Richter - *judge*
15 das oberste Bundesgericht - *Supreme Court*
16 überschreiten [1b] - *go beyond*
17 betragen [6a] - *come to*
18 eidgenössisch - *(Swiss) federal — literally: bound together as companions by oath, referring to the oath sworn in the time of the legendary Wilhelm Tell*
19 kommunal - *municipal, local*
19 die Angelegenheit - *concern, affair*
20 der Wohnkanton - *the canton where the citizen resides*

den das Recht aberkannt hat: wegen Bevormundung, wegen eines Vergehens, wegen selbstverschuldeten Vermögensverfalles, wegen Nichtbezahlung der Steuern.

Auch die zahlreichen in der Schweiz lebenden Ausländer —
25 1910 bestanden 17% der Bevölkerung aus Ausländern, 1930 noch etwa 9%, 1963 nun sogar rund 17,5%, wovon allerdings über zwei Drittel in der Stellung von Gastarbeitern — üben hier kein Stimmrecht aus. Manche, insbesondere ein großer Teil der italienischen Gastarbeiter, fahren dagegen nach Hause, um an
30 Wahlen im Heimatland teilzunehmen. Nur der Kanton Neuenburg gibt den Ausländern das Stimmrecht in Gemeindeangelegenheiten — gewiß eine weitherzige Ordnung!

Den fremden Leser wird es wundern, warum bis jetzt in der Schweiz das Frauenstimmrecht nicht allgemein eingeführt wurde.
35 Vielerorts in unserm Lande herrscht die wohl auf den germanischen Brauch zurückgehende Ansicht, daß die Frau ins Haus und nicht ins öffentliche Leben gehöre. Sie solle ihre Gattinnen- und Mutterpflichten in vorbildlicher Weise erfüllen. Wie Frau Regula Amrein, die Heldin einer der schönsten Novellen des
40 großen Dichters Gottfried Keller, habe sie Möglichkeiten genug, um auf günstige, aber indirekte Art auf die Männer und die Erfüllung ihrer staatsbürgerlichen Pflichten einzuwirken. Endlich haben die Schweizer Frauen selbst mehrheitlich noch keinen großen Drang nach Stimmberechtigung gespürt. Ein bei-

21 ab•erkennen [6.1.2] - *deprive of*
21 die Bevormundung - *being under guardianship (because of legal incompetence)*
22 das Vergehen - *violation of the law*
22 selbstverschuldeter Vermögensverfall - *bankruptcy arising through one's own fault*
23 die Steuer - *tax*
24 zahlreiche = viele
26 etwa = ungefähr
26 sogar - *even*
26 rund = etwa
26 allerdings (3)
27 der Gastarbeiter - *foreign laborer*
28 insbesondere - *especially*
29 dagegen [§17.1.3]
30 teil•nehmen [5c] (an + *dat.*) - *participate (in)*
31 die Gemeinde - *community;* Angelegenheit (19)
32 gewiß - *certainly*
32 weitherzig - *liberal, generous*
34 allgemein - *universally*
34 ein•führen - *introduce*
35 vielerorts - *in many places*
35 herrschen - *rule, be prevalent*
35 germanisch - *Germanic, Teutonic*
36 der Brauch - *custom*
36 die Ansicht - *opinion, view*
37 öffentlich - *public*
37 gehören (in + *acc.*) - *belong (in)*
37 gehöre, solle: *Subjunctive* [§7.6.1] *indirect quotations of what "people say."*
37 Gattinnen- und Mutterpflichten - *duties as a wife and mother*
37 Gattinnen-: -nen- *not a plural ending, but a joining element, as in* §16.1.
38 vorbildlich - *exemplary*
39 die Heldin - *heroine*
39 die Novelle - *work of fiction shorter than a novel but more complex than a short story*
40 der Dichter - *poet, author, i. e. creator of literary works of art*
40 Gottfried Keller (1819-1890)
41 günstig - *favorable*
41 die Art - *way*
42 ihrer - *of their (i. e. the men's)*
42 staatsbürgerlich - *civic*
42 ein•wirken (auf + *acc.*) = beeinflussen
43 endlich - *finally*
43 mehrheitlich - *in the majority*
44 der Drang (nach) - *urge (toward)*
44 spüren - *feel*

45 nahe aufgezwungenes Frauenstimmrecht ließe vielleicht nichts Gutes erwarten, leiden doch die Wahlen und Abstimmungen heute schon unter der Stimmfaulheit der Männer. Doch kündigt sich gegenwärtig ein allmählicher Wandel der Auffassungen an. Hier wie überall muß die Neuerung zuerst in den Kantonen auspro-
50 biert werden. Die Kantone sind die politischen Versuchsfelder der Eidgenossenschaft.

Die Kantone Waadt, Genf und Neuenburg gingen voran: Hier ergaben sich Mehrheiten der Männer für das Stimm- und Wahlrecht der Frauen für alle kantonalen Abstimmungen und Wahlen.
55 So kommt es, daß in diesen drei Kantonen die Frauen auch an den Ständeratswahlen teilnehmen, obwohl der Ständerat eine eidgenössische Behörde und nur die Regelung des Wahlverfahrens Sache der Kantone ist. Auf der Ebene des Bundes wurde das Frauenstimmrecht in einer Volksabstimmung vom 1. Februar
60 1959 mit 654 924 gegen 323 307 Wählerstimmen und von 19 (gegen 3) Kantonen verworfen.

Es scheint, daß man weitherum das Frauenstimmrecht besonders für Schule und Kirche als angezeigt erachtet. Die protestantischen Kirchen kennen es heute zum Teil in den Wahlen
65 und Abstimmungen der Kirchgemeinden. Mehrere Kantone gestatten die Wahl von Frauen in die gewerblichen Schiedsgerichte, welche Streitigkeiten des Arbeitsverhältnisses beurteilen, Waadt auch für die Polizeigerichte. Das Zivilgesetzbuch von 1912 ermöglicht, Frauen zu Vormündern zu ernennen, und es
70 verleiht die elterliche Gewalt beiden Eltern gemeinsam, nicht

45 auf•zwingen [3a] - *force upon*
45 ließe ... erwarten - *would produce (literally: would allow [one] to expect)*
45 nichts Gutes [§5.5.2]
46 leiden doch...[§8.2.4]
46 leiden [1b] (unter + *dat.*) - *suffer (from)*
46 die Abstimmung - *referendum*
47 sich an•kündigen - *begin*
48 gegenwärtig - *at present*
48 allmählich - *gradual*
48 der Wandel - *change*
48 die Auffassung = die Ansicht (36)
49 die Neuerung - *innovation, reform*
49 aus•probieren - *test, try out*
50 das Versuchsfeld - *proving ground*
51 die Eidgenossenschaft = die Schweiz
52 Die Kantone Waadt, Genf und Neuenburg liegen alle drei im westlichen, hauptsächlich französischen Teil der Schweiz.
52 voran•gehen - *lead the way*
53 sich ergeben (für) - *agree (to)*
56 der Ständerat - *upper house of the legislative body*
56 teil•nehmen (30)
56 obwohl - *although*
57 die Behörde (5)
57 die Regelung - *regulation, control*
57 das Verfahren - *process*
58 die Sache - *affair, concern*
58 die Ebene - *level*
59 die Volksabstimmung - *national referendum*
61 verwerfen [5a] - *reject*
62 weitherum - *generally*
63 angezeigt - *advisable, appropriate*
63 erachten - *consider*
65 die Gemeinde (31)
65 mehrere - *several*
65 gestatten = erlauben
66 das gewerbliche Schiedsgericht - *court for arbitration of labor disputes*
67 welche = die [§13.1.1]
67 die Streitigkeit - *dispute*
67 beurteilen - *pass judgment on*
68 das Gericht (13)
68 das Zivilgesetzbuch - *civil code*
69 der Vormund - *guardian*
69 ernennen [§6.1.2] (zu) - *appoint (as)*
69 es: *Antecedent?*
70 verleihen [1a] - *bestow, grant*
70 die Gewalt - *power, authority*
70 gemeinsam - *jointly*

nur dem Vater. Wenn man in der Schweiz immer mehr gewahr wird, daß sie mit der Ablehnung des Frauenstimmrechtes bald ganz allein auf weiter Flur steht, und daß auch die Charta von San Francisco und die Europäische Menschenrechtskonven-
75 tion die Gleichberechtigung der Frau als ein Grundrecht erklären, wird der Widerstand hoffentlich weiter nachlassen.

Aus dem Fehlen des Frauenstimmrechts darf man nicht schließen, daß die Schweizer Frau allgemein hintangestellt oder gar schlecht behandelt sei. Längst hat sich zum Beispiel der
80 Einsatz der Frau in Berufen, die früher dem Mann vorbehalten waren, eingelebt. Es gab eine Reihe berühmter Dichterinnen, Ärztinnen usw. Die schweizerische Frauenbewegung weiß sich für ihre Ziele zu wehren und entfaltet eine dankbar anerkannte Wirksamkeit auf dem Gebiete der gemeinnützigen und wohl-
85 tätigen Bestrebungen.

Das Stimmrecht stellt zugleich eine Pflicht dar. Wenn der Bürger bei ihrer Erfüllung „streikt", wird der Staat gelähmt. Doch hat der Bund den Kantonen anheimgestellt, ob sie den Stimmzwang verhängen, d. h. unentschuldigtes Fernbleiben mit
90 einer Geldbuße bestrafen wollen. Zehn Kantone kennen diesen Stimmzwang, und es kann nicht bestritten werden, daß gerade

71 gewahr werden - *become aware*
72 die Ablehnung - *rejection*
73 auf weiter Flur - *on a broad stretch of open country (that is, in a vulnerable position, wide open to criticism)*
73 die Charta - *the (United Nations) Charter*
75 die Gleichberechtigung - *equal rights*
75 das Grundrecht - *basic right*
75 erklären - *declare*
76 nach•lassen [7a] - *decrease, weaken [Since the date of publication (1967) the publishers have added the following note to the chapter on voting rights.]*
Am 7. Februar 1971 haben die Schweizer Männer alle ihre früheren Vorbehalte überwunden und mit 621 000 Ja gegen 324 000 Nein das Frauenstimm- und -wahlrecht in gesamtschweizerischen Angelegenheiten eingeführt. Nur 5 Kantone und 3 Halbkantone haben die Vorlage abgelehnt; 14 Kantone und 3 Halbkantone haben zugestimmt. Eine Anzahl von ihnen war auf der eigenen Ebene bereits vorausgegangen; bald werden es nun (1972) die letzten nachgeholt haben. Die Schweiz hat das Frauenstimmrecht spät, aber als einzige Nation in einer Abstimmung der Männer eingeführt.
77 fehlen - *lack, be absent*
77 schließen (aus) - *conclude (from)*
78 hintan•stellen - *neglect, ignore*
79 behandeln - *treat*
79 längst - *long since*
80 der Einsatz - *employment*
80 vorbehalten sein (+ *dat.*) - *be reserved for*
81 sich ein•leben - *become a custom*
81 eine Reihe (+ *gen.*) - *a long line of*
81 berühmt - *famous*
82 usw. = und so weiter - *etc.*
82 die Frauenbewegung - *women's movement*
83 das Ziel - *goal*
83 sich wehren - *defend oneself*
83 entfalten = entwickeln
83 anerkannt - *acknowledged*
84 die Wirksamkeit - *effectiveness*
84 gemeinnützig - *public-spirited*
84 wohltätig - *charitable*
85 die Bestrebung - *endeavor*
86 dar•stellen - *represent*
86 zugleich - *at the same time*
87 der Bürger - *citizen*
87 lähmen - *paralyze*
88 anheim•stellen (+ *dat.*) - *leave to the discretion (of)*
89 der Stimmzwang - *legal requirement to vote*
89 verhängen - *impose*
89 d.h. = das heißt - *that is, i.e.*
89 unentschuldigt - *unexcused*
89 das Fernbleiben - *non-appearance*
90 die Geldbuße - *fine*
90 bestrafen - *penalize*
91 bestreiten [1b] - *dispute*

in diesen Kantonen die Stimmbeteiligung in der Regel die beste ist. Bei den Nationalratswahlen von 1935 beteiligten sich am meisten Wähler (90,2%) im Kanton Aargau (mit Stimm-
95 zwang), dagegen nur 50,3% im Kanton Obwalden (ohne Stimmzwang).

Die Freiheit der Stimmabgabe ist wirksam geschützt. Niemand braucht einen Nachteil zu befürchten, wenn er seiner Überzeugung und seinem Gewissen folgt. Wegen Vorenthaltung
100 des Stimmrechtes oder Unregelmäßigkeiten bei einer Wahl oder Abstimmung kann sich jeder Bürger beim obersten Gericht, dem Bundesgericht, beschweren, und zwar sogar in Gemeindeangelegenheiten.

Die Staatsbürgerrechte des Schweizers sind durch die Mög-
105 lichkeit der staatsrechtlichen Beschwerde an das Bundesgericht wirksam geschützt. Auch Unregelmäßigkeiten im Wahl- und Abstimmungsverfahren und Verfälschungen des Volkswillens können gerügt werden.

Die Verschlechterung der Stimmbeteiligung, besonders bei
110 den jungen Jahrgängen hängt nur zu einem geringen Teil mit dem „Überangebot" an Urnengängen zusammen. Mit ausländischen Soziologen wird man annehmen müssen, daß folgende Phänomene wirksam seien: eine politische Skepsis der jungen Generation, ein Sichzurückziehen auf die naheliegenden Fragen des Lebens-
115 standards, der Ferien und Reisen, der Haushaltsmaschinen, der Kinderausbildung, auf Unterhaltung und, in den öffentlichen Dingen, auf eine Beobachterstellung. Dieser in der Industrie- und Massengesellschaft verbreitete Typus nimmt zwar an den politischen Vorgängen und Entscheidungen immer noch einigen
120 Anteil, aber er fühlt sich nicht mehr zum Einsatz aufgerufen, und seine Grundhaltung und seine Neigungen sind für den grundlegenden Consens der Eidgenossenschaft gleichgültiger geworden.

92 die Beteiligung = die Teilnahme - *participation*
92 in der Regel - *as a rule*
93 sich beteiligen = teilnehmen
97 die Stimmabgabe - *casting one's vote*
97 wirksam - *effectively*
97 schützen - *protect*
98 der Nachteil - *disadvantage*
98 befürchten - *fear*
99 das Gewissen - *conscience*
99 die Vorenthaltung - *denial*
100 die Unregelmäßigkeit - *irregularity*
102 sich beschweren - *lodge a complaint*
102 und zwar [§18.8.1]
102 Gemeindeangelegenheiten (31)
104 die Staatsbürgerrechte - *civil rights*
105 staatsrechtlich - *lawful*
105 die Beschwerde - *complaint*
107 die Verfälschung - *falsification*
108 rügen - *denounce*
109 die Verschlechterung - *deterioration*
110 zusammen•hängen [7c] - *be connected*
110 gering - *slight*
111 das Überangebot - *surfeit*
111 der Urnengang - *election, i. e. going to the ballot box*
114 das Sichzurückziehen - *withdrawal*
114 naheliegende Fragen - *personal problems*
115 die Ferien *(pl.)* - *vacation*
115 der Haushalt - *housekeeping*
116 die Ausbildung - *education*
116 die Unterhaltung - *entertainment*
116 öffentlich (37)
117 die Beobachterstellung - *position of observer*
118 verbreitet - *widespread, common*
118 Anteil nehmen (an + *dat.*) = teilnehmen (an)
118 zwar ... aber [§18.8.2]
119 der Vorgang - *process*
119 die Entscheidung - *decision*
119 einig- - *some*
120 der Einsatz - *(here) commitment*
121 die Grundhaltung - *basic attitude*
121 die Neigung - *inclination*
121 grundlegend - *fundamental*
122 der Consens - *consensus*
122 gleichgültig - *indifferent*

QUESTIONS ON THE TEXT

What privileges and duties does the male Swiss acquire at the age of twenty?
How old does he have to be in order to be elected to federal office?
How old in some of the cantons?
How old were some of the leaders of the radical party in the 19th century?
What did this party accomplish?
Have persons in elective office since that time been elected at an older or a younger age?
How does the age of Swiss officials and judges compare with that in other countries?
For what reasons can the right to vote be denied?
Do foreigners living in Switzerland generally have the right to vote?
Where do some of the foreign workers vote?
In what kind of elections do some foreign workers in Switzerland have the right to vote? Where?
What may surprise the foreign reader? (The date of this article is 1967.)
To what attitude does the author attribute the lack of women's suffrage?
According to the Swiss, did women need the vote in order to affect the course of events?
Did Swiss women themselves, according to this author, have a strong desire to acquire the right to vote?
What would happen, according to him, if they were almost forced to vote?
Do all men exercise their right to vote?
In which cantons were women allowed to vote?
In what kinds of elections?
When were they granted the right of guardianship and equal parental responsibility?
What would finally force Switzerland to give women the right to vote?
What assumptions may not be made from this lack of voting rights for Swiss women?
What kinds of professions were they allowed to pursue?
What does the franchise mean besides the right to vote?
What have some cantons done in order to get out the vote?
Has this measure been effective?
How is the voter protected?
What can he do in case of election irregularities?
What group of voters is most likely to neglect the duty to vote?
For what reasons do Swiss voters fail to vote?

In welchem Alter darf der Schweizer wählen?
In welchem Alter kann er in die Bundesregierung gewählt werden?
Sind schweizerische Politiker und Richter jünger oder älter als die in anderen Ländern?
Aus welchen Gründen kann der Kanton das Wahlrecht aberkennen?
Dürfen Ausländer in der Schweiz an Wahlen teilnehmen?
Wie viele Gastarbeiter gab es 1963 in der Schweiz?
Wann hat die Schweizer Frau das Wahlrecht erlangt?
Warum erst dann?
Wohin gehört die Frau nach der Ansicht vieler Schweizer Männer?
Glaubt der Autor dieses Aufsatzes, daß die meisten Schweizer Frauen mit ihrem Leben zufrieden sind?
Welche Ziele hat die schweizerische Frauenbewegung erreicht?
Wie haben einige Kantone gegen Stimmfaulheit gekämpft?
In welcher Altersgruppe kommt die größte Stimmfaulheit vor?
Wofür interessieren sich viele Schweizer mehr als für ihre Bürgerpflichten?

WORDS AND WORD FAMILIES

allerdings (3, 26)
allgemein (34, 78)
die Angelegenheit -en (19)
    die Gemeindeangelegenheiten (31, 102)
die Behörde -n (57)
    die Regierungsbehörde (4)
sich beschweren (102)
    die Beschwerde (105)
der Bund (6, 88)
    der Bundesstaat (7)
    das Bundesgericht (15, 17)
der Bürger - (87, 102)
    staatsbürgerlich (42)
    das Staatsbürgerrecht -e (104)
erfüllen (38)
    die Erfüllung (42, 87)
der Gastarbeiter - (27, 29)
die Gemeinde -n:
    die Gemeindeangelegenheiten (31)
    die Kirchgemeinde (65)
das Gericht -e (13, 101)
    das Bundesgericht (15, 101)
    das Polizeigericht (68)
    der Richter - (15)
das Gesetz -e:
    gesetzgebend (4)
    das Zivilgesetzbuch (68)
Grund-:
    die Grundhaltung (121)
    grundlegend (121)
    das Grundrecht -e (75)
die Mehrheit (53)
    mehrheitlich (43)
öffentlich (37, 116)
die Pflicht -en (42, 86)
    die Mutterpflichten (38)
sogar (26, 102)
die Stimme -n:
    die Abstimmung -en (46, 54, 65)
    die Stimmabgabe (97)
    die Stimmfaulheit (47)
    das Stimmrecht (2, 28, 31)
    der Stimmzwang (89, 91, 94)
der Teil -e (28, 64, 110)
    Anteil nehmen (an + *dat.*) (120)
    sich beteiligen (93)
    teil•nehmen (an + *dat.*) (30, 56)
    der Nachteil -e (98)
    die Stimmbeteiligung (92, 109)
der Vormund/-münder (69)
    die Bevormundung (21)
die Wahl -en (12, 30, ...)
    wählen (9)
    der Wähler - (94)
    die Wählbarkeit (4)
    wahlberechtigt (18)
    das Wahlrecht (3)
    die Wählerstimme -n (60)
wegen (21, 22, 99)
wirken:
    ein•wirken (42)
    wirksam (97, 106, 113)
    die Wirksamkeit (84)
zwar:
    und zwar (102)
    zwar...aber (118-120)

Übung A

Name -- Datum -------------

A Each of the underlined words in the following sentences functions as either an adjective or an adverb. Indicate the function of each one by writing above it: **Adj.** (adjective) or **Adv.** (adverb). [§4.9]

1 Sie verwendet ... eigentümlich schillernde künstliche Formen. (L:67)

2 In sichtbaren und hörbaren Handlungen und Ereignissen werden die Folgen innerer Vorgänge, äußerer Handlungen und Ereignisse sowie ihre Voraussetzungen dargestellt und gemimt. (L:85)

3 Der spezifisch lyrische Raum ist die Innenwelt... (L:103)

4 Wir schließen nach Abb. 1 oben an eine gut arbeitende Pumpe an. (P:1)

5 Betrachten wir die Schriften bei Tage, so finden wir, daß die Buchstaben aus meist hellen Glasröhren gebogen sind. (P:25)

6 Nun beginnen die Glaswände in einem magisch grünen Licht zu leuchten. (P:53)

7 Die schweizerische Frauenbewegung ... entfaltet eine dankbar anerkannte Wirksamkeit auf dem Gebiete der gemeinnützigen und wohltätigen Bestrebungen. (M:82)

8 Die Freiheit der Stimmabgabe ist wirksam geschützt. (M:97)

9 Schuld daran ist der früh einsetzende Mangel an einem Enzym. (B:53)

10 Die biologisch erfolgreicheren Laktasebesitzer könnten ihre vorteilhafte Erbanlage allmählich auf die ganze Bevölkerung übertragen haben. (B:127)

B Rewrite each of the following extended adjective constructions as a noun + relative clause, according to the patterns in §14.1.

1 mit der von ihm erschaffenen Welt (L:33) [§14.1.4]

mit der Welt, die von ihm erschaffen worden ist

2 in den von ihm gestalteten Spielraum (L:34) [§14.1.4]

----

3 von den für ihn typischen mittelbaren Redeformen (L:43) [§14.1.5]

---

4 Trotz der auf diesem Gebiet herrschenden Problematik (L:128) [§14.1.2]

---

5 Unter den durch das Entladungsrohr fliegenden Elektronen (P:105)

---

6 die wohl auf den germanischen Brauch zurückgehende Ansicht (M:35)

---

7 die zahlreichen in der Schweiz lebenden Ausländer (M:24)

---

8 Dieser in der Industrie- und Massengesellschaft verbreitete Typus (M:117) [§14.1.3]

---

9 die Viehzucht treibenden Europäer (B:108)

---

10 zu einer in bestimmten Bevölkerungsgruppen weit verbreiteten Eigenschaft (B:135)

C Rewrite each of the following noun + relative clause constructions as an extended adjective/participle construction.

1 ein Ball, der gegen eine Wand geworfen wird (P:87)

ein gegen eine Wand geworfener Ball

2 die Elektronen, die zur Anode wandern (P:82)

---

3 ein Funkenstrahl, der lautlos von einer Elektrode zur anderen zieht (P:42)

---

4 die Berufe, die dem Mann vorbehalten waren (M:80)

Übung B

Name ________________________________ Datum ____________

A 1) Underline all genitive noun phrases (including modifiers) in the following sentences. (Some sentences have more than one genitive phrase.)
2) Translate each of the genitive phrases into English, including the noun or the preposition on which it depends.

1 Mit 20 Jahren, wenn der Schweizer männlichen Geschlechtes handlungs- und wehrfähig wird, erlangt er auch das Stimm- und Wahlrecht. (1) ___*the Swiss male (literally: of male sex)*___

2 Doch ist auch heute noch das jüngste Mitglied des Nationalrates anläßlich seiner Wahl wenig mehr als 30 Jahre alt gewesen, und der Durchschnitt, besonders in den Gerichten, liegt unter dem Englands und Amerikas. (11)

____

____

3 Nicht stimm- und wahlberechtigt sind ... die Personen, denen der Wohnkanton aus besonderen Gründen das Recht aberkannt hat: wegen eines Vergehens, wegen selbstverschuldeten Vermögensverfalles, ... (18)

____

____

4 Manche, insbesondere ein großer Teil der italienischen Gastarbeiter, fahren dagegen nach Hause, ... (28)

____

5 Die Kantone sind die politischen Versuchsfelder der Eidgenossenschaft. (50)

____

6 So kommt es, daß in diesen drei Kantonen die Frauen auch an den Ständeratswahlen teilnehmen, obwohl der Ständerat eine eidgenössische Behörde und nur die Regelung des Wahlverfahrens Sache der Kantone ist. (55) ____________________

____

B Notice that "**von** + unmodified noun" functions like a genitive phrase. Example:

in der Stellung von Gastarbeitern (27)

There is another occurrence of this construction in your current reading, in the paragraph starting at line 62. Find it and write it on the line following:

C In the "noun + genitive" construction, the second noun is always modified:

die Freiheit der Stimmabgabe (97)
eine Reihe berühmter Dichterinnen (81)

When the second noun is not modified, the pattern "noun + **von** + dative" is used, as in the example in Exercise B above. (Remember that the dative plural always has the ending **-n**).

Using words from the following lists, translate the phrases below into German, using the appropriate pattern.

das Alter	amerikanisch	der Ausländer -
die Erfüllung	berühmt	der Journalist -en
die Freiheit	gut	der Mann/Männer
die Reihe	jung	die Pflicht -en
die Stellung	staatsbürgerlich	der Richter -
das Stimmrecht	zahlreich	der Schweizer -

1 a series of judges ____eine Reihe von Richtern____

2 a series of famous judges ____eine Reihe berühmter Richter____

3 a series of good judges ______________________

4 the performance of duties ______________________

5 the performance of civic duties

----

6 the position of foreigners ______________________

7 the position of many foreigners

----

8 the right to vote of the Swiss

----

9 the right to vote of young men

----

10 the freedom of journalists ______________________

Alles, was schön, gut und groß war in der Geschichte unseres Volkes, hat in der Deutschen Demokratischen Republik seine Heimat gefunden. Vaterlandsliebe, patriotisches Streben und Freundschaft mit allen Völkern können sich in der
5 DDR ungehindert entwickeln. Die humanistische Hoffnung der großen Deutschen, die von einem Deutschland des Friedens und der Humanität träumten, ist tief in das Denken und Wollen der Menschen in der DDR eingegangen, die in ihrer Mehrheit für den gesellschaftlichen Fortschritt, für die Vollendung
10 des sozialistischen Aufbaus eintreten und den Grundsatz der sozialistischen Moral verwirklichen:

> Du sollst Dein Vaterland lieben und stets bereit sein, Deine ganze Kraft und Fähigkeit für die Verteidigung der Arbeiter-und-Bauern-Macht einzusetzen.

15 Die Vaterlandsliebe der Werktätigen in der DDR ist die tiefe, innere Verbundenheit mit der aufstrebenden sozialistischen Gesellschaft, dem Staat der Arbeiter und Bauern, dem wahren Vaterland der guten Deutschen.

Aus echter Vaterlandsliebe handeln bedeutet, unerschüt-
20 terlich für den Sozialismus einzutreten, all die Werte zu schützen, zu bewahren und zu mehren, worin die schöpferischen Kräfte vieler Generationen von Arbeitern, Bauern und Geistesschaffenden, der Werktätigen der DDR verkörpert sind.

Die Liebe der Werktätigen unserer Republik zu ihrem so-
25 zialistischen Vaterland, das ist die Liebe zum deutschen Volk, zu seiner Sprache, Kultur und Geschichte, das ist gleichzeitig der Haß gegen die imperialistischen Feinde unseres Volkes in Westdeutschland.

Um zu wissen, wer ein guter Deutscher ist und wie er han-
30 deln muß, kann man nicht achtlos an den Lehren der Geschichte unseres Volkes vorübergehen. Vor allem muß man den Kampf der deutschen Arbeiterbewegung gegen Militarismus und Krieg, für

This is a selection from a textbook on civics used in East German schools.

2 unser Volk = die Deutschen
3 das Streben - *struggle, striving*
4 mit allen Völkern = mit allen Ländern
7 träumen - *dream*
9 der Fortschritt - *progress*
9 die Vollendung - *completion*
10 ein•treten [4a] (für) - *stand up (for)*
10 der Grundsatz - *principle*
11 verwirklichen - *make into a reality*
12 stets = immer
13 die Fähigkeit - *ability*
13 die Verteidigung - *defense*
14 die Macht - *power*
14 ein•setzen (für) - *dedicate (to)*
16 die Verbundenheit - *bond*
16 auf•streben - *aspire*
19 echt - *genuine*
19 handeln - *act: The infinitive phrase* Aus ... handeln *is the subject of* bedeutet.
19 unerschütterlich - *unwavering*
20 der Wert - *value*
21 bewahren - *preserve*
21 mehren - *increase*
21 schöpferisch - *creative*
23 der/die Geistesschaffende - *intellectual*
23 verkörpern - *embody*
27 gleichzeitig - *at the same time*
27 der Haß (gegen) - *hatred (for)*
27 der Feind - *enemy*
30 achtlos - *heedless*
31 vorüber•gehen (an + *dat.*) - *pass by, pass over*

Frieden, Demokratie und Sozialismus studieren, muß man aus den Siegen und Niederlagen, aus den Opfern und Taten der
35 guten Deutschen die Schlußfolgerung für das Heute ziehen.

Gute Deutsche, das sind jene aufrechten Männer und Frauen, die heute an der Spitze des ersten deutschen Friedensstaates, der DDR, stehen. Sie haben ihr ganzes Leben lang für Frieden und Gerechtigkeit, für das Glück des deutschen Volkes ge-
40 kämpft, während die auch heute noch in der westdeutschen Bundesrepublik herrschenden Imperialisten dem deutschen Volk nur Not und Unglück brachten.

Das begabte und fleißige deutsche Volk hat im Verlauf seiner wechselvollen Geschichte in Wissenschaft und Technik,
45 Musik und Literatur, Industrie und Landwirtschaft Großes geleistet. Aber sein Fleiß, sein Genius und seine moralische Kraft wurden von den herrschenden Schichten mißbraucht, und das Volk wurde um die Früchte seiner Mühe betrogen. Die edlen Gefühle des Patriotismus und der Vaterlandsliebe wurden
50 von der deutschen Großbourgeoisie schmählich in den Dienst von Gewalt und Krieg gestellt. Für viele ältere Menschen hat das Wort „Vaterland" daher einen bitteren Beigeschmack bekommen, nachdem sie unter der verlogenen Losung „Für das Vaterland" von den deutschen Militaristen auf die Schlachtfelder
55 zweier Weltkriege getrieben wurden.

Wer in Westdeutschland lebt und ein guter Deutscher sein will, darf sich nicht durch den Antikommunismus verleiten und zur Feindschaft gegen die DDR zwingen lassen. Er muß zum bewußten Bundesgenossen des deutschen Friedensstaates
60 werden, weil dieser die gleichen Grundinteressen wie er hat und seine zuverlässigste Stütze ist im schweren, komplizierten Kampf für die demokratische Umwandlung Westdeutschlands, für die Abrüstung, für die Überwindung des westdeutschen Militarismus und der Macht der Monopole.

65 Es ist ein Glück für alle guten Deutschen, daß heute ein friedliebender deutscher Staat, die DDR, existiert. Sie ist

34 der Sieg - *victory*
34 die Niederlage - *defeat*
34 die Tat - *deed*
35 die Schlußfolgerung - *final consequence*
35 das Heute = die Gegenwart - *the present*
36 aufrecht - *upright*
39 die Gerechtigkeit - *justice*
43 begabt - *gifted, talented*
43 fleißig - *diligent, hard-working*
43 der Verlauf - *course*
44 wechselvoll - *eventful*
47 die Schicht - *class*
47 mißbrauchen - *abuse*
48 die Mühe - *effort*
48 betrügen [2b] (um) - *cheat (of)*
48 edel - *noble, lofty*
50 schmählich - *disgraceful*
50 der Dienst - *service*
51 stellen (in + *acc.*) - *put (to)*
52 daher - *therefore, thus*
52 der Beigeschmack - *taste, flavor*
53 sie: *Antecedent?*
53 verlogen - *false*
53 die Losung - *slogan*
54 die Schlacht - *battle*
55 treiben - *drive, force*
57 sich verleiten lassen - *be led astray*
58 die Feindschaft - *hostility*
58 sich zwingen lassen (zu) - *be forced (into)*
59 bewußt - *conscious*
59 der Bundesgenosse - *ally*
60 dieser: *Antecedent?*
60 er: *Antecedent?*
61 zuverlässig - *reliable*
61 die Stütze - *support*
62 die Umwandlung - *complete change*
63 die Abrüstung - *disarmament*
63 die Überwindung - *conquest*
66 friedliebend - *peace-loving*

das erste wirkliche Vaterland der guten Deutschen. Hier gehören das Land und die Fabriken, die Schulen und Laboratorien dem ganzen Volk. Sein Fleiß und seine Talente können sich
70 frei zum Wohle aller Menschen entfalten. Nationalismus und Revanchepolitik, Ausbeutung und Krieg sind für immer mit der Wurzel ausgerottet.

Das heutige moralische Antlitz Westdeutschlands ist durch die größte Sammlung faschistischer Verbrecher in Amt und
75 Würden entstellt. Das moralische Antlitz der Deutschen Demokratischen Republik besitzt seine hellen und schönen Züge durch die mutigen Kämpfer gegen Hitler, die in der Politik, der Wirtschaft, der Armee und der Kultur der Republik führend tätig sind, wie bereits auch durch eine neue Generation
80 junger Menschen, die im Geiste des Friedens und des Sozialismus herangewachsen ist.

Die Liebe zum sozialistischen Vaterland ist unvereinbar mit bloßem Lippenbekenntnis und überschwenglicher Schwärmerei. Es ist eine Illusion, anzunehmen, die Einheit Deutsch-
85 lands, die friedliche Zukunft der ganzen deutschen Nation werde sich von selbst oder nur durch den guten Willen einstellen. Es genügt auch nicht, sich als Deutscher mit allen anderen Deutschen, zum Beispiel mit Verwandten und Bekannten in Westdeutschland, lediglich verbunden zu fühlen, zu glau-
90 ben, es sei doch „alles nicht so schlimm", weder sie noch wir wollten gegenseitig „etwas Böses". In erster Linie ist Klarheit über die wirkliche Lage in Deutschland erforderlich sowie über das, was zu tun ist, um einen neuen Krieg zu verhindern, normale Beziehungen zwischen beiden deutschen Staa-
95 ten herzustellen und die friedliche Zukunft der deutschen Nation zu gestalten. Dazu gehört, auch den Menschen in Westdeutschland, auch den Verwandten diese Erkenntnisse zu vermitteln.

70 das Wohl - *well-being*
70 entfalten = entwickeln
71 die Revanche - *revenge*
71 die Ausbeutung - *exploitation*
72 mit der Wurzel aus•rotten - *root out*
73 das Antlitz - *face, countenance*
74 die Sammlung - *collection*
74 der Verbrecher - *criminal*
74 in Amt und Würden - *in the office and the privileges belonging to it*
75 entstellt sein - *be disfigured*
76 hell - *bright*
76 der Zug - *feature*
77 mutig - *courageous*
78 führend tätig sein - *be in a position of leadership*
79 bereits = schon
80 der Geist - *spirit*
81 heran•wachsen [6a] - *grow up*
82 unvereinbar - *irreconcilable*
83 bloß - *mere*
83 das Lippenbekenntnis - *lip-service*
83 überschwenglich - *exaggerated*
83 die Schwärmerei - *unfounded enthusiasm*
84 an•nehmen [5c] - *assume*
86 sich ein•stellen - *materialize*
87 genügen - *suffice*
88 der/die Verwandte - *relative*
88 der/die Bekannte - *acquaintance*
89 lediglich = bloß - *merely*
89 sich verbunden fühlen (mit) - *feel attached (to)*
90 weder...noch - *neither...nor*
91 gegenseitig - *for each other*
91 böse [§5.5.2] - *evil*
91 in erster Linie - *first of all*
92 die Klarheit - *clarity*
92 die Lage - *situation*
92 erforderlich - *necessary*
93 sowie - *as well as*
93 verhindern - *prevent*
94 die Beziehung - *relation*
95 her•stellen - *establish*
96 gestalten - *shape, mold*
97 die Erkenntnis - *insight*
97 vermitteln - *impart*

Sozialismus und monopolkapitalistische Herrschaft lassen
100 sich nicht in einem Staat vereinigen. Ein Zurück in das
Mittelalter der gesellschaftlichen Entwicklung, zum Kapitalismus, gibt es für die Bürger der sozialistischen Deutschen Demokratischen Republik nicht. Eine Verschmelzung der sozialistischen Deutschen Demokratischen Republik mit der
105 vom Monopolkapital beherrschten westdeutschen Bundesrepublik ist deshalb unmöglich. Die Vereinigung der beiden deutschen Staaten ist abhängig von einer durchgreifenden antiimperialistischen Umwälzung in Westdeutschland.

Die Bürger der DDR bewähren sich als gute Deutsche da-
110 durch, daß sie als Pioniere der Nation alles zur Stärkung und Verteidigung ihres Landes tun, weil sich in ihm der Frieden und die glückliche Zukunft Deutschlands verkörpern. Das bedeutet, im Bewußtsein der nationalen Verantwortung durch gute und ehrliche Arbeit, durch hohe Leistungen in
115 Wissenschaft, Technik, Kunst, durch hervorragende Ergebnisse in der Industrie und Landwirtschaft den Aufbau des Sozialismus in der DDR vollenden zu helfen. Der Sozialismus wirkt vor allem durch das Beispiel seiner Errungenschaften. Die Entwicklung der sozialistischen Produktion ist daher das
120 Wichtigste, um im friedlichen Wettbewerb mit dem Kapitalismus die Friedenspolitik durchzusetzen.

Die Liebe zum sozialistischen Vaterland erfordert die Bereitschaft, die sozialistische Gesellschaft mit der Waffe zu verteidigen. Getragen von diesem Geist, bestimmt auch
125 das Verteidigungsgesetz der DDR:

> Die Verteidigung der DDR ist historische Aufgabe und Pflicht der deutschen Arbeiterklasse und aller patriotischen Kräfte. Der Dienst in den bewaffneten Organen des Arbeiter-und-Bauern-Staates ist ehrenvolle nationale Pflicht seiner Bürger, insbe-
> 130 sondere der Jugend im wehrfähigen Alter.

Der unverrückbare sittliche Grundsatz sozialistischer Vaterlandsverteidigung war, ist und bleibt, mit allen Mitteln einen Krieg der räuberischen Imperialisten unmöglich zu machen oder im Falle eines Angriffs dem Aggressor den
135 vernichtenden Schlag zu versetzen. Es geht vor allem darum,

99 die Herrschaft - *domination*
100 das Zurück - *back track, retreat*
101 das Mittelalter - *Middle Ages*
103 die Verschmelzung - *merger*
107 durchgreifend - *radical*
108 die Umwälzung - *revolution*
109 sich bewähren - *prove oneself*
109 dadurch [§17.1.2]
110 der Pionier der Nation - *dedicated worker for the socialist state*
112 sich verkörpern [§7.5.5] - *be embodied*
113 das Bewußtsein - *consciousness*
113 die Verantwortung - *responsibility*
114 ehrlich - *honest*
115 hervorragend - *exceptional*
117 wirken - *have an effect*
118 die Errungenschaft - *accomplishment (with great effort)*
120 der Wettbewerb - *competition*
121 durch•setzen - *enforce*
122 erfordern - *require*
123 die Waffe - *weapon, arms*
124 getragen von - *guided by*
124 bestimmen - *provide, direct*
128 der Dienst (50)
128 die bewaffneten Organe - *the armed forces*
129 ehrenvoll - *honorable*
131 unverrückbar - *unchangeable*
131 sittlich - *moral*
133 räuberisch - *predatory*
134 der Angriff - *attack*
135 vernichten - *annihilate*
135 einen Schlag versetzen - *deal a blow*
135 es geht darum - *at issue is*

die militärische Überlegenheit unseres Lagers des Friedens und des Sozialismus über das Lager des Imperialismus zu sichern und dazu beizutragen, den Krieg überhaupt aus dem Leben der Völker zu verbannen. Denn das einzige System in
140 der Gegenwart, das noch immer Völkerkriege gebiert, ist der unmenschliche Imperialismus, vor allem in den USA und in Westdeutschland.

Worin besteht die Grundaufgabe der Nationalen Volksarmee? Es ist die Aufgabe der Soldaten und Offiziere der Nationalen
145 Volksarmee, das sozialistische Vaterland zuverlässig zu schützen und das große Werk des sozialistischen Aufbaus, das von den Arbeitern und Bauern, der Intelligenz und anderen Werktätigen vollbracht wird, militärisch zu sichern. Die Nationale Volksarmee setzt im Verein mit den Streit-
150 kräften der Sowjetunion und den Waffenbrüdern der anderen Länder des Warschauer Vertrages ihre ganze Kraft dafür ein, das friedliche Leben unserer Völker zu gewährleisten. Als Teil der mächtigen sozialistischen Militärkoalition ist sie bereit, im Falle der Entfesselung einer imperialistischen
155 Aggression den Feind auf seinem eigenen Territorium zu vernichten.

136 die Überlegenheit - *superiority*
136 das Lager - *camp*
138 sichern - *assure*
138 bei·tragen [6a] - *contribute*
138 überhaupt - *completely*
139 verbannen - *ban*
140 noch immer - *still*
140 gebären [5e] - *bear, bring forth*
143 bestehen [§6.2.2] (in + *dat.*) - *consist (in)*
147 die Intelligenz - *intellegentsia*
148 vollbringen [§6.1.2] = leisten
149 im Verein mit - *in conjunction with*
149 die Streitkräfte *(pl.)* - *armed forces*
150 der Waffenbruder - *comrade in arms*
151 der Warschauer Vertrag - *Warsaw Pact*
152 gewährleisten - *guarantee*
154 die Entfesselung - *unleashing*

QUESTIONS ON THE TEXT

What claims on history does the author make?
What heritage has been passed on, and how has it been developed?
What is the duty of every citizen?
How does patriotism express itself?
What is patriotism?
What does "Vaterlandsliebe" *imply as the other side of the coin?*
What is the principal focus of a study of history in a socialistic country?
Who specifically are the "gute Deutsche" *of whom the article speaks?*
What have "good Germans" accomplished and in what areas?
Who are the villains?
Why does the word "Vaterland" *leave a bad taste in the mouth?*
What measures in West Germany must a "good German" resist?
What must a "good German" who happens to live in West Germany do to improve relations between the two Germanies?
How must West Germany change in order to conform to East German ideals?
Why does East Germany consider itself the real fatherland of all good Germans?
What does this author claim about government officials in West Germany? In East Germany?
How must Germans, even relatives, in the other (West) Germany be regarded?
What must they be taught?
To what purpose?
Why can't the two Germanies be united at present?
What must happen before they can be united?
What are the ideals and the goals of East Germany?
How can socialism expect to show capitalism that it is the better system?
What additional duty does the love of the socialistic fatherland require?
What does the law say about military service?
What is the stated purpose of national defense?
Why must national defense be kept at its peak?
Who is regarded as the aggressor in all wars?
What is the purpose of the army?
Who are its allies?
Where will it defeat the aggressor if attacked?

Wer ist nach diesem Autor der wahre Erbe *(heir)* des deutschen Humanismus?
Was ist das wahre Vaterland des „guten Deutschen"?
Wie kann ein guter Deutscher seinem Vaterland dienen?
Was muß ein Deutscher tun, wenn er aus echter Vaterlandsliebe handelt?
Was ist die Gegenseite der Liebe zum sozialistischen Vaterland?
Wofür haben die guten Deutschen ihr ganzes Leben lang gekämpft?
Was haben die Imperialisten von Westdeutschland dem deutschen Volke gebracht?
Was muß geschehen, wenn sich die beiden Länder wieder vereinigen?
Wie müssen gute Deutsche aus der Deutschen Demokratischen Republik ihre Bekannte und Verwandte aus dem Westen betrachten?
Was müssen die Bürger der DDR tun, um den Westdeutschen zu zeigen, daß sie das bessere System haben?
Was ist der Grundsatz sozialistischer Vaterlandsverteidigung?
Wer steht im Verein mit der Nationalen Volksarmee?
Was wird geschehen, wenn die Deutsche Demokratische Republik angegriffen wird?

WORDS AND WORD FAMILIES

das Antlitz -e (73, 75)
der Aufbau (10, 116, 146)
bedeuten (19, 113)
der Dienst -e (50, 128)
die Fähigkeit -en (13)
    wehrfähig (130)
der Feind -e (27, 155)
    die Feindschaft (58)
der Fleiß (46, 69)
    fleißig (43)
der Frieden (6, 33 ...)
    die Friedenspolitik (121)
    der Friedensstaat -en (37, 59)
    friedlich (85, 95, 120)
    friedliebend (66)
gehören (67, 96)
der Geist -er (80, 124)
das Glück (39, 65)
    glücklich (112)
    das Unglück (42)
der Grundsatz/-sätze (10, 131)
handeln (19, 29)
herrschen (41, 47)
    die Herrschaft (99)
    beherrschen (105)

die Kraft/Kräfte (13, 22 ...)
    die Streitkräfte (149)
das Lager - (136, 137)
die Macht/Mächte (14, 64)
    mächtig (153)
streben (3)
    auf·streben (16)
das Vaterland (12, 25 ...)
    die Vaterlandsliebe (3, 19 ...)
verkörpern (23, 112)
vernichten (135, 156)
verteidigen (124)
    die Verteidigung (13, 111, 126)
    das Verteidigungsgesetz (125)
der/die Verwandte -n (88, 97)
das Volk/Völker (2, 4, 26 ...)
vollenden (117)
    die Vollendung (9)
die Waffe -n (123)
    der Waffenbruder/-brüder (150)
    bewaffnet (128)
weder ... noch (90)
wirklich (67)
    verwirklichen (11)
die Zukunft (85, 95, 112)

Übung A

Name ________________________________ Datum ____________

A Indicate by a check in the appropriate column whether the noun in the underlined phrase is dative or accusative. Then give the reason for the use of that case: goal, position, time, or idiomatic usage. [§1.2.3 + §1.3.4; cf. §4 for case endings.]

Die Pilze bilden ein dichtes Flechtwerk um die feinen Wurzeln der Waldbäume und dringen in die Wurzelzellen[1] ein. (B:8)

Halbschmarotzer finden wir auf manchen Wiesen[2] und in Wäldern[3]. (B:20)

Die einzelnen Arten sind an verschiedene Wirte[4] gebunden. (B:26)

Die Vergesellschaftung der Pflanzen stellt besonders wichtige Beziehungen zwischen den Pflanzen[5] einer Lebensgemeinschaft her. (B:41)

Egon Witty war von der Betriebsleitung ausersehen, in einem halben Jahr[6] den Posten des Meisters zu übernehmen. (L:11)

Er stand starr und beobachtete das geschäftige Treiben auf dem Eisenverladeplatz[7]. (L:24)

Er blinzelte in die Sonne[8]. (L:47)

Meine Frau muß weiter auf dem Moped[9] in die Stadt[10] zum Einkaufen fahren. (L:85)

An die Hochspannungsquelle[11] wird die Schattenkreuzröhre angeschlossen. (P:6)

Auf der grün schimmernden Röhrenwand[12] entdecken wir das Schattenbild des Kreuzes. (P:14)

Treffen die Elektronen auf die Glasmoleküle[13], so senden deren Atome das grüne Leuchten aus. (P:17)

Die Elektronen prallen mit großer Wucht auf die Wolframplatte[14]. (P:38)

Die humanistische Hoffnung der großen Deutschen ... ist tief in das Denken und Wollen[15] der Menschen in der DDR eingegangen. (M:5)

Gute Deutsche, das sind jene aufrechten Männer und Frauen, die heute an der Spitze[16] des ersten deutschen Friedensstaates, der DDR, stehen. (M:36)

Der Dienst in den bewaffneten Organen[17] des Arbeiter-und-Bauern-Staates ist ehrenvolle nationale Pflicht seiner Bürger, insbesondere der Jugend im wehrfähigen Alter[18]. (M:128)

	Dat.	Acc.	Reason
1	____	____	____________
2	____	____	____________
3	____	____	____________
4	____	____	____________
5	____	____	____________
6	____	____	____________
7	____	____	____________
8	____	____	____________
9	____	____	____________
10	____	____	____________
11	____	____	____________
12	____	____	____________
13	____	____	____________
14	____	____	____________
15	____	____	____________
16	____	____	____________
17	____	____	____________
18	____	____	____________

B Indicate the usage of **werden**: independent (I), future (F), or passive (P). If it is used in a future verb phrase, underline the infinitive dependent on it, if in a passive verb phrase, underline the past participle. [§10]

1 ----
2 ----
3 ----
4 ----
5 ----
6 ----
7 ----
8 ----
9 ----
10 ----
11 ----
12 ----

Sein Fleiß, sein Genius und seine moralische Kraft wurden[1] von den herrschenden Schichten mißbraucht, und das Volk wurde[2] um die Früchte seiner Mühe betrogen. (M:46)

Die Elektronen werden[3] durch die hohe Spannung zur Anode hin bewegt und prallen mit großer Wucht auf die Wolframplatte. (P:37)

Eine fotografische Platte wird[4] von den Strahlen so verändert, als sei sie dem Tageslicht ausgesetzt worden[5]. (P:49)

Ich werde[6] in Bewegung setzen und überwachen, ich werde[7] etwas sein. (L:55)

Und das Auto? Wird[8] wohl nichts werden[9]. (L:84)

Die Pläne soll er gleich in Cellophanhüllen stecken, damit sie nicht so schmutzig werden[10]. (L:191)

Der weitaus größte Teil aller Blütenpflanzen wird[11] durch Tiere bestäubt. (B:82)

Diese Tierart dient räuberischen oder parasitisch lebenden Tierarten als Nahrung, welche wiederum von bestimmten tierischen Feinden verfolgt und verzehrt werden[12]. (B:125)

Übung B

Name ______________________________ Datum __________

A Rewrite each of the following relative clauses as an independent sentence, using the antecedent of the relative pronoun in your new sentence.

1 die von einem Deutschland des Friedens und der Humanität träumten (6)

Die großen Deutschen träumten von einem Deutschland des Friedens und der Humanität.

2 die in ihrer Mehrheit für den gesellschaftlichen Fortschritt ... eintreten (8)

____

____

3 die heute an der Spitze ... der DDR stehen (37)

____

4 die im Geiste des Friedens und des Sozialismus herangewachsen ist (80)

____

____

B Some infinitives have "zu," others do not, depending on the verb with which they are associated. Examples:

Er muß nach Hause gehen. Ich glaube ihn gut zu kennen.

Each of the following verbs has at least one dependent infinitive. Write the infinitive(s), with or without "zu," in the space(s) provided.

1 können (4) entwickeln

2 sollst (12) lieben, sein

3 sein (12) einzusetzen

4 bedeutet (19)
a) __________
b) __________
c) __________
d) __________

5 muß (30) __________

6 kann (30) __________

7 lassen (58)
a) __________
b) __________

8 ist (84) __________

9 genügt (87)
a) __________
b) __________

10 gehört (96) __________

11 lassen (99) __________

12 bedeutet (113)
____

C The translation of prepositions is difficult, because their "meaning" often depends on the noun, adjective, or verb with which they are used. You have had lists of idiomatic usages of prepositions on pages 10 and 16 of the Einführung, and idiomatic usages of prepositions are often footnoted in your text.
Look at each of the following words in its context, then write in the space provided the preposition used with it.

1 träumten (7) ____________
(dreamed of, about)

2 die Verbundenheit (16) ____________
(bond with)

3 die Liebe (24) ____________
(love for)

4 der Haß (27) ____________
(hatred for)

5 vorübergehen (31) ____________
(pass by)

6 gekämpft (40) ____________
(struggled for)

7 betrogen (48) ____________
(cheated of)

8 sich verleiten lassen (57) ____________
(be led astray by)

9 die Feindschaft (58) ____________
(enmity for)

10 die Klarheit (92) ____________
(clarity about)

11 abhängig (107) ____________
(dependent on)

D In the following chart, you are given the form of the verb as it occurs in the text. You are to fill in the rest of the forms.

	Infinitive	(Present, 3rd sing.)	Past	Past participle
1	ziehen (35)	____________	____________	____________
2	____________	____________	____________	betrogen (48)
3	____________	____________	brachten (42)	____________
4	____________	existiert (66)	____________	____________
5	____________	____________	____________	ausgerottet (72)

E What is the antecedent of "sie" in line 53? ____________

Die Verfassung

„Österreich ist eine demokratische Republik. Ihr Recht geht vom Volke aus." So lautet der Artikel 1 der österreichischen Bundesverfassung vom 1. Oktober 1920, die ihre heute
5 geltende Fassung im Jahre 1929 erhalten hat. Der Artikel 2 dieser Verfassung bestimmt: „Österreich ist ein Bundesstaat. Der Bundesstaat wird gebildet aus den selbständigen Ländern: Burgenland, Kärnten, Niederösterreich, Oberösterreich, Salzburg, Steiermark, Tirol, Vorarlberg, Wien."

10 Gleichheit vor dem Gesetz

Die Grundrechte, die in Österreich gelten, wurden bereits zur Zeit der österreichisch-ungarischen Monarchie in den Staatsgrundgesetzen vom 21. Dezember 1867 festgelegt. Diese Grundgesetze bilden einen Bestandteil der geltenden österrei-
15 chischen Bundesverfassung. In dem Grundgesetz über die Rechte der Staatsbürger wird der Rechtssatz aufgestellt: „Vor dem Gesetze sind alle Staatsbürger gleich." Als unzulässig wurden insbesondere alle Differenzierungen „in Ansehung der Geburt, des Geschlechtes, des Standes, der Klasse, des Bekenntnisses,
20 der Rasse und der Sprache" erklärt. Ferner heißt es in der Bundesverfassung: „Die öffentlichen Ämter sind für alle Staatsbürger gleich zugänglich."

Freiheit der Person

Durch das Staatsgrundgesetz ist die Freiheit der Person in
25 Österreich gewährleistet. Die Verhaftung einer Person darf nur kraft eines richterlichen, mit Gründen versehenen Befehles erfolgen. Die zur Anhaltung berechtigten Organe der öffentlichen Gewalt sind verpflichtet, jede festgenommene Person innerhalb der nächsten 48 Stunden entweder freizulassen

1 die Verfassung - *constitution*
3 aus·gehen (von) - *originate (in)*
3 lauten - *read*
5 geltend - *valid*
5 die Fassung - *version*
5 erhalten [7a] = bekommen
6 bestimmen - *stipulate*
7 bilden - *form*
7 selbständig - *individual, separate*
11 das Grundrecht - *basic right*
13 die Staatsgrundgesetze *(pl.)* - *National Code*
13 fest·legen - *lay down*
14 der Bestandteil - *component*
16 der Rechtssatz - *legal principle*
16 auf·stellen - *formulate*
17 unzulässig - *inadmissable*
18 in Ansehung (+ *gen.*) - *regarding*
19 der Stand - *social position*
19 das Bekenntnis - *church affiliation*
20 erklären - *declare*
20 ferner - *furthermore*
20 es heißt - *it is stated*
22 zugänglich - *accessible*
25 gewährleisten - *guarantee*
25 die Verhaftung - *arrest*
26 kraft (+ *gen.*) - *by virtue of*
26 richterlich - *judicial*
26 versehen (mit) - *provide (with)*
26 der Befehl - *order*
27 erfolgen - *be carried out*
27 Die ... Organe - *the agencies authorized to arrest and detain*
28 verpflichten - *oblige*
29 entweder ... oder - *either ... or*

30 oder sie an die zuständige Behörde abzuliefern. Das Hausrecht wird durch das Staatsgrundgesetz geschützt. Hausdurchsuchungen dürfen nur kraft eines richterlichen Befehles vorgenommen werden. Das Briefgeheimnis darf nach den geltenden Verfassungsbestimmungen nicht verletzt werden. Die Freizügigkeit
35 der Person und des Vermögens innerhalb des österreichischen Staatsgebietes unterliegt keinen Beschränkungen. Jeder Österreicher besitzt das verfassungsmäßig garantierte Recht, aus Österreich auszuwandern. Schließlich bestimmt das Staatsgrundgesetz zum Schutze der persönlichen Freiheit, daß niemand
40 seinem gesetzlichen Richter entzogen werden darf.

Freiheit der Meinung

Die Österreicher genießen nach dem Grundgesetz das Recht, Vereine zu bilden und Versammlungen abzuhalten. Jedermann hat in Österreich das Recht, durch Wort, Schrift, Druck oder durch
45 bildliche Darstellungen seine Meinung innerhalb der gesetzlichen Schranken frei zu äußern. Die Presse darf weder unter Zensur gestellt noch durch das Konzessionssystem beschränkt werden. Die volle Glaubens- und Gewissensfreiheit ist jedermann in Österreich gewährleistet. Die Wissenschaft und ihre
50 Lehre ist frei.

Unabhängigkeit der Richter

Das Prinzip der Trennung der Gewalten zwischen Gesetzgebung, Verwaltung und Gerichtsbarkeit ist in der österreichischen Verfassung voll gewahrt. Als vorbildlich gilt die
55 Institution der Gesetzesprüfung durch den österreichischen

30 zuständig - *proper, appropriate*
30 ab·liefern - *deliver, hand over*
30 das Hausrecht - *right of privacy*
31 die Hausdurchsuchung - *house search (by the police)*
32 vor·nehmen [5c] - *undertake*
33 das Briefgeheimnis - *(right of) secrecy of private correspondence*
34 verletzen - *encroach on*
34 die Freizügigkeit - *right to mobility*
35 das Vermögen - *property, capital*
36 unterliegen [4c] (+ *dat.*) - *be subject to*
36 die Beschränkung - *limitation*
37 verfassungsmäßig garantiert - *guaranteed by the constitution*
38 aus·wandern (aus) - *emigrate (from)*
40 entziehen [2a] (+ *dat.*) - *remove (from the jurisdiction of)*
41 die Meinung - *opinion*
42 genießen [2a] - *enjoy*
43 der Verein - *club, organization*
43 die Versammlung - *meeting, assembly*
43 ab·halten [7a] - *hold*
44 die Schrift - *writing*
44 der Druck - *print*
45 bildlich - *pictorial*
45 die Darstellung - *representation*
46 die Schranke = die Grenze - *limit*
46 äußern - *express*
47 das Konzessionssystem - *licensing*
47 beschränken (Beschränkung, 36; Schranke, 46)
48 die Glaubens- und Gewissensfreiheit [§19.2.2] - *freedom of religion and conscience*
52 die Trennung der Gewalten - *separation of powers*
52 die Gesetzgebung - *legislative branch*
53 die Verwaltung - *executive branch, administration*
54 gewahren = gewährleisten
54 vorbildlich - *exemplary*
54 gelten [5a] (als) - *be regarded (as)*
55 die Gesetzesprüfung - *testing of the law*

Verfassungsgerichtshof. Jedermann, der sich in seinem Recht verkürzt glaubt, kann den Verwaltungsgerichtshof, in bestimmten Fällen auch den Verfassungsgerichtshof, anrufen. Alle Richter sind nach der Verfassung in Ausübung ihres richter-
60 lichen Amtes unabhängig.

Das Parlament

Die gesetzgebenden Körperschaften sind der Nationalrat und der Bundesrat. Der Nationalrat besteht aus 165 Abgeordneten, die auf Grund der gleichen, direkten und geheimen Stimmabgabe
65 in 25 Wahlkreisen nach dem Proportionalsystem gewählt werden. Das aktive Wahlrecht besitzen alle österreichischen Staatsbürger männlichen und weiblichen Geschlechtes, die am Stichtag der Wahl das 19. Lebensjahr überschritten haben. Wählbar sind alle Männer und Frauen, die älter als 25 Jahre sind. Der
70 Bundesrat stellt die Länderkammer des österreichischen Parlaments dar. In den Bundesrat entsenden die Bundesländer 54 Abgeordnete, die von den Landtagen im Verhältnis zur Bevölkerungszahl der einzelnen Länder gewählt werden. Jedes im Nationalrat beschlossene Gesetz muß dem Bundesrat zur Genehmi-
75 gung vorgelegt werden. Nationalrat und Bundesrat bilden gemeinsam die Bundesversammlung, der in wenigen bestimmten Fällen die Beschlußfassung vorbehalten ist. Die Bundesversammlung hätte nach der Verfassung auch eine Kriegserklärung zu beschließen, die ohne Zustimmung der beiden Häuser des
80 Parlaments nicht ausgesprochen werden könnte.

Der Bundespräsident

Die vollziehende Gewalt üben der Bundespräsident und die Bundesregierung aus. Der Bundespräsident wird vom Volke auf Grund des allgemeinen, gleichen und geheimen Wahlrechtes ge-
85 wählt. Seine Amtszeit beträgt sechs Jahre. Er vertritt die Republik nach außen, er beruft den Nationalrat zu seinen Sessionen ein, er schließt die Sitzungsperioden des Parlaments,

57 verkürzen - *short-change, curtail*
57 der Verwaltungsgerichtshof - *civil court*
58 an•rufen [7f] - *call upon*
63 der/die Abgeordnete - *representative*
67 der Stichtag der Wahl - *election day*
68 überschreiten [1b] - *pass*
68 wählbar - *eligible for election*
70 dar•stellen - *form, be*
70 die Länderkammer - *chamber which represents the state governments*
71 entsenden (in + *acc.*) - *send (to)*
72 der Landtag - *state legislature*
72 im Verhältnis (zu) - *in proportion (to)*
73 einzeln - *individual*
74 beschließen [2a] - *pass*
74 die Genehmigung - *approval*
75 vor•legen - *present*
77 die Beschlußfassung - *final version*
77 vorbehalten sein - *be reserved to*
78-80 hätte, könnte: *The use of the subjunctive here indicates the doubt that Austria's neutrality will ever be violated. (Cf. lines 123-126)*
79 die Zustimmung - *assent*
80 aus•sprechen [5a] = erklären
82 vollziehend - *executive*
85 betragen [6a] - *amount to*
85 vertreten [4a] - *represent*
86 nach außen - *externally, in foreign affairs*
86 ein•berufen [7f] - *convene*
87 schließen [2a] - *terminate*

er ernennt den Bundeskanzler und die übrigen Minister. Der Bundespräsident schließt die Staatsverträge ab und nimmt die
90 Angelobung der Landeshauptmänner entgegen. Der Bundespräsident kann den Nationalrat auflösen, jedoch nur einmal aus dem gleichen Anlaß. Er beurkundet das verfassungsmäßige Zustandekommen der Bundesgesetze. Der Bundespräsident ist oberster Befehlshaber des Bundesheeres.

95 Wenn der Bundespräsident verhindert ist, seine Amtstätigkeit auszuüben, gehen alle Funktionen des Staatsoberhauptes auf den Bundeskanzler über. Dauert die Verhinderung des Bundespräsidenten voraussichtlich länger als 20 Tage, dann bestimmt der Hauptausschuß des Nationalrates auf Grund eines
100 besonderen Gesetzes eine oder mehrere Personen, die den Bundespräsidenten zu vertreten haben.

Die Bundesregierung

Der Bundespräsident ernennt den Bundeskanzler und auf dessen Vorschlag die Bundesminister. Männer und Frauen, die
105 mindestens 29 Jahre alt und nach den gesetzlichen Bestimmungen in den Nationalrat wählbar sind, können zu Bundesministern ernannt werden. Die Bundesminister müssen jedoch nicht dem Nationalrat als Abgeordnete angehören. Der Bundespräsident ist bei der Auswahl der Kabinettsmitglieder nach der Verfas-
110 sung völlig frei.

Die Mitglieder der Bundesregierung sind für ihre Amtsführung und für die Tätigkeit aller ihnen unterstellten Organe dem Nationalrat verantwortlich. Ein Bundesminister, dem das Parlament das Mißtrauen ausspricht, muß nach den Bestimmungen
115 der Verfassung seines Amtes enthoben werden.

88 ernennen [§6.1.2] - *appoint*
88 der Bundeskanzler - *chancellor*
88 die übrigen - *the remaining*
89 ab•schließen [2a] - *sign*
89 der Staatsvertrag - *treaty*
89 entgegen•nehmen [5c] - *receive*
90 die Angelobung - *oath of allegiance (to the nation)*
90 der Landeshauptmann - *governor of a "Land"*
91 auf•lösen - *dissolve*
92 gleich - *same*
92 der Anlaß - *cause*
92 beurkunden - *certify, authenticate*
92 das Zustandekommen - *passing*
94 der Befehlshaber - *commander*
94 das Heer - *army*
95 die Amtstätigkeit - *functioning in office*
97 dauern - *last*
98 voraussichtlich - *it is likely*
99 bestimmen - *designate*
99 der Hauptausschuß - *chief committee*
103 dessen - *the latter's*
104 der Vorschlag - *recommendation*
105 die Bestimmung - *stipulation*
107 müssen...nicht - *do not have to*
109 die Auswahl - *choice*
109 nach [§18.6.3]
110 völlig - *completely*
111 die Amtsführung - *conduct of office*
111 die Tätigkeit - *function*
111 unterstellt (+ *dat.*) - *subordinate to*
114 das Mißtrauen - *no confidence*
115 entheben [2d] *(+ accusative of person, genitive of thing)* - *relieve of*

Landtage und Landesregierungen

Jedes der neun Bundesländer wird von einer Landesregierung verwaltet, an deren Spitze der vom Landtag gewählte Landeshauptmann steht. Die Mitglieder der Landtage werden nach den
120 gleichen Grundsätzen gewählt wie die Mitglieder des Nationalrates. Die Zahl der Abgeordneten der Landtage wird nach der Einwohnerzahl der einzelnen Bundesländer errechnet.

Österreich hat zur Behauptung seiner Unabhängigkeit nach außen und zum Zweck der Unverletzlichkeit seines Gebietes aus
125 freien Stücken seine immerwährende Neutralität erklärt (Bundesverfassungsgesetz vom 25. Oktober 1955).

116 der Landtag (72)
122 die Einwohnerzahl = die Bevölkerungszahl
122 errechnen - *calculate*
123 die Behauptung - *assertion*
124 der Zweck - *purpose*
124 die Unverletzlichkeit - *inviolability*
125 aus freien Stücken - *voluntarily*
125 immerwährend - *perpetual*

QUESTIONS ON THE TEXT

When was the first version of the constitution of Austria adopted?
What had been the government of Austria before World War I?
When was the constitution which is now valid adopted?
Define the terms: Bund, Staat, Land.
To what are the regions Burgenland, Kärnten, etc. *comparable in the United States? In Switzerland? In West Germany?*
When were the basic rights of citizens written into the law of Austria?
How does the Austrian constitution treat each of the following: arrest; detention; search; private correspondence; mobility; emigration; court?
In what forms is the right to an opinion protected?
How is the citizen protected against laws he considers oppressive?
To which legislative body in American government is the Nationalrat *equivalent?*
How are representatives elected?
Who may vote?
Who may be elected?
To which legislative body in American government is the Bundesrat *similar?*
What do the members of this body represent?
How are they chosen?
How is the number representing each Land *determined?*
Which house of parliament initiates most laws?
What is the main function of the other house?
Who has the right to declare war?
What is the function of the president?
How is he elected?
How long does he serve?
What are his duties?
How is a president's incapacity to fulfill his duties of office provided for?
What are the qualifications of ministers?
To which officials in the US government are ministers comparable?
How can a minister be dismissed from office?
To which governmental bodies in the US are Landtage *comparable?*
How are members elected?
How is the number of members determined?
Why did Austria declare itself to be a neutral nation?

Vergleichen Sie die Regierung von Österreich mit der der Vereinigten Staaten, und benutzen Sie dabei wenigstens 15 der folgenden Begriffe:

Gleichheit vor dem Gesetz:
1 Geschlecht
2 Stand
3 Bekenntnis
4 Sprache

Freiheit der Person:
5 Verhaftung
6 Hausdurchsuchung
7 Briefgeheimnis
8 Freizügigkeit innerhalb Österreichs
9 Auswanderung

Freiheit der Meinung:
10 Versammlung
11 Presse
12 Glaubens- und Gewissensfreiheit
13 Wissenschaft und ihre Lehre

Trennung der Gewalten:
14 Gesetzgebung
15 Verwaltung
16 Gerichtsbarkeit

Das Parlament:
17 Nationalrat
18 Bundesrat
19 Abgeordnete
20 Wahlrecht

Der Bundespräsident:
21 seine Amtszeiten
22 seine Pflichten

WORDS AND WORD FAMILIES

der/die Abgeordnete -n (63, 72 ...)
das Amt/Ämter (21, 60)
    die Amtsführung (111)
    die Amtstätigkeit -en (95)
    die Amtszeit (85)
außen: nach außen (86, 124)
aus•sprechen [5a] (80, 114)
der Befehl -e (26, 32)
    der Befehlshaber - (94)
bestimmen (6, 38, 99)
    die Bestimmung -en (105, 114)
    die Verfassungsbestimmung (33)
bilden (7, 14)
entweder ... oder (29)
erklären (20, 125)
    die Kriegserklärung (78)
ernennen (88, 103, 107)
die Fassung -en (5)
    die Beschlußfassung (77)
geheim (64, 84)
    das Briefgeheimnis (33)
gelten [5a] (5, 11, 14, 33, 54)
gewährleisten (25, 49)
die Gewalt -en (28, 52, 82)
gleich (17, 22, 64, 84, 92)
    die Gleichheit (10)
innerhalb (+ *gen.*) (35, 45)
jedermann (43, 48, 56)
kraft (+ *gen.*) (26, 32)
das Land/Länder (7, 73)
    das Bundesland (71, 117)
    der Landeshauptmann/-männer (90)
    die Landesregierung -en (116)
    die Länderkammer (70)
    der Landtag -e (72, 116, 118)
die Meinung -en (41, 45)
das Mitglied -er (111, 119, 120)
der Rat/Räte:
    der Bundesrat (63, 70, 74)
    der Nationalrat (62, 63, 73)
die Schranke -n (46)
    beschränken (47)
    die Beschränkung -en (36)
schließen [2a] (87)
    ab•schließen (89)
    beschließen (79)
die Verfassung (1,...)
    die Bundesverfassung (4, 15)
    verfassungsmäßig (37, 92)
verhindern (95)
    die Verhinderung (97)
die Versammlung -en (43)
    die Bundesversammlung (76, 77)
vertreten [4a] (85, 101)
verwalten (118)
    die Verwaltung (53)

Übung A

Name ____ Datum _____________

A All the underlined verbs in the following sentences are either prefixed (inseparable) or compound (separable) verbs. Give the infinitive of each one and check in the appropriate column whether it is prefixed or compound.

	Infinitive	Pref.	Comp.
1 Der Kohlenstoff nimmt unter den Elementen eine besondere Stellung ein. (P:1)	einnehmen	---	✓
2 Um einen Einblick in die chemische Natur dieser Stoffe zu gewinnen,... (P:8)	gewinnen	✓	---
3 Wir suchen aus dem Bau des Kohlenstoffatoms seine Verbindungsmöglichkeiten herzuleiten. (P:13)	------------	---	---
4 Diese Orbitale überlappen sich mit den 1s-Orbitalen der Wasserstoffatome und	------------	---	---
bilden dabei stabile Bindungen aus. (P:74)	------------	---	---
5 Bei starker Vernichtung von Schädlingen und Nützlingen nimmt die Zahl der Schädlinge viel rascher zu als die der Nützlinge. (B:38)	------------	---	---
6 Die eingeführten Nützlinge wirken sich anfangs am stärksten aus. (B:71)	------------	---	---
7 Der Jüngling ließ sich zu kurzer Rast nieder (L:19)	------------	---	---
8 Ehe du mich vernichtest, gib dich mir zu erkennen. (L:141)	------------	---	---
9 Das Recht einer demokratischen Republik geht vom Volke aus. (M:2)	------------	---	---
10 Hausdurchsuchungen dürfen nur kraft eines richterlichen Befehles vorgenommen werden. (M:31)	------------	---	---

B Indicate the case and number of each of the underlined nouns in the following sentences. (NS = nominative singular; AP = accusative plural; DS = dative singular; GP = genitive plural, etc.) [§1, §3, §4]

1 Ein Jüngling (NS) wanderte den winkenden Bergen (DP) zu. (L:1)

2 Er fühlte sein Herz mit allen Pulsen der Welt in gleicher Welle schlagen. (L:2)

3 Unbedroht und frei trug ihn sein Weg über das offene Land. (L:4)

4 Es gibt eine Fülle von Verbindungen, die Kohlenstoff enthalten. (P:7)

5 Der Charakter der chemischen Verbindungen kann aus dem Bau der Atomhülle ihrer Elemente erklärt werden. (P:11)

6 In einer ungestörten Lebensgemeinschaft ist durch das Zusammenspiel aller an dem Standort wirkenden Faktoren ein Zustand erreicht, dem wir als biozönotisches Gleichgewicht bezeichnen. (B:1)

7 Wenn es gestört wird, ändert sich das Gefüge der Lebensgemeinschaft. (B:4)

8 Der Artikel 2 der österreichischen Verfassung bestimmt: „Österreich ist ein Bundesstaat." (M:5)

9 In dem Grundgesetz über die Rechte der Staatsbürger wird der Rechtssatz aufgestellt: „Vor dem Gesetze sind alle Staatsbürger gleich." (M:15)

C Referring to the patterns in §4.1-6, fill in the adjective endings in the following sentences.

1 Die gesetzgebend_en_ Körperschaften sind der Nationalrat und der Bundesrat. (M:62)

2 Jedes im Nationalrat beschlossen____ Gesetz muß dem Bundesrat zur Genehmigung vorgelegt werden. (M:73)

3 Die vollziehend____ Gewalt üben der Präsident und die Bundesregierung aus. (M:83)

4 Bei der chemisch____ Schädlingsbekämpfung kann ungewollt eine ungünstig____ Einwirkung auf die Lebensgemeinschaft erfolgen. (B:31)

5 Bei wiederholt____ Massenvermehrung der Schädlinge ist das erneut____ Eingreifen des Menschen notwendig. (B:85)

6 Eine ideal____ kovalent____ Bindung kommt nur dann zustande, wenn die Elektronegativitäten der sich verbindend____ Elemente verschieden sind. (P:40)

7 Zum zweitenmal ließ sich die unbreiflich____ Stimme vernehmen. (L:23)

8 Weißt du, wozu gerade dieser Wurm bestimmt war im unendlich____ Lauf des Werdens und Geschehens? (L:73)

Übung B

Name ______________________________________ Datum _____________

A Review Einführung, pages 39 and 40, then rewrite the following active sentences as passives.

1 Der Bundespräsident ernennt den Bundeskanzler.

____

2 Das Volk wählt den Bundespräsidenten.

____

3 Man darf das Briefgeheimnis nicht verletzen.

____

4 Das Staatsgrundgesetz schützt das Hausrecht.

____

5 Nur der Bundeskanzler kann Staatsverträge abschließen.

____

____

B Rewrite the following passive sentences as active constructions.

1 Die 54 Abgeordneten des Bundesrates werden von den Landtagen gewählt.

____

____

2 Alle Differenzierungen in Ansehung der Geburt usw. wurden als unzulässig erklärt.

____

____

3 Jedes der neun Bundesländer wird von einer Landesregierung verwaltet.

____

____

4 Ohne Zustimmung des Parlaments kann eine Kriegserklärung nicht ausgesprochen werden.

____

____

5 Jedes im Nationalrat beschlossene Gesetz muß dem Bundesrat zur Genehmigung vorgelegt werden.

C Rewrite each of the following extended adjective constructions as a noun + relative clause. [§14.1 and Einführung, page 92]

1 (kraft) eines richterlichen, mit Gründen versehenen Befehles (26)

----

2 Die zur Anhaltung berechtigten Organe (27)

----

3 Jedes im Nationalrat beschlossene Gesetz (74)

----

4 aller ihnen unterstellten Organe (112)

----

5 der vom Landtag gewählte Landeshauptmann (118)

Österreich hat eine Bodenfläche von 83.850 km^2 und eine Bevölkerung von 7.073.800 Personen. Die Lage des Landes zwischen dem 46. und dem 49. nördlichen Breitengrad und dem 9. und dem 17. Längengrad verleiht ihm eine besondere Stel-
5 lung in der Mitte des Kontinents. Die wichtigsten Verkehrswege von Nord nach Süd und von West nach Ost führen in Mitteleuropa über österreichisches Gebiet. Die Grenzen Österreichs sind 2637 km lang. Österreichs Nachbarn sind: die Schweiz, Italien, Jugoslawien, Ungarn, die Tschechoslowakei, die
10 Bundesrepublik Deutschland und Liechtenstein.

Seiner Topographie nach ist Österreich ein Alpenland von abwechslungsreicher Bildung. Seine Berg- und Talformen senken sich gegen Norden zur Donau, die das Land in einer Länge von 350 km von West nach Ost durchfließt. Die Gebirgsland-
15 schaft geht im Osten in das Wiener Becken über, das die Verbindung zu der weiten ungarischen Tiefebene darstellt. Im äußersten Osten und im äußersten Westen Österreichs liegt auf derselben geographischen Breite je ein großer See. Im Osten bedeckt der in einem Steppengebiet gelegene Neusiedler See
20 eine Fläche von 320 km^2. Im Westen entfallen von dem 538 km^2 großen Bodensee, durch den der Rhein fließt, allerdings nur 24 km^2 auf österreichisches Gebiet. Über diese beiden großen Seen hinaus zählt man in Österreich noch 88 größere und zahlreiche kleinere Seen. Während sich nördlich der Donau frucht-
25 bares Hügelland nur stellenweise bis zu einer Höhe von 1000 m erhebt, durchzieht den südlichen Teil des Landes die mächtige Kette der Alpen. Die höchste Erhebung stellt hier der Groß-

1 die Bodenfläche - *area*
1 83.850 [§19.3.3]
1 km^2 = Quadratkilometer
3 der Breitengrad - *degree of latitude*
4 verleihen [1a] (+ *dat.*) - *bestow upon, grant*
5 der Verkehrsweg - *traffic route*
9 Ungarn - *Hungary*
11 nach [§18.6.2]
12 abwechslungsreich - *diversified*
12 das Tal/Täler - *valley*
12 sich senken - *become lower*
13 gegen - *toward*
13 die Donau - *Danube*
14 die Gebirgslandschaft - *mountain terrain*
15 über•gehen (in + *acc.*) - *change (into)*
15 Wiener *(adj.)* - *Vienna*
15 das Becken - *basin*
16 ungarisch - *Hungarian*
16 die Tiefebene - *lowland*
16 Im äußersten ... je ein großer See. - *On both the easternmost and the westernmost ends of Austria and on the same degree of latitude, there are large lakes.*
19 bedecken - *cover*
19 das Steppengebiet: die Steppe: weite, baumlose Grasebene, in Nordamerika die „Prärie", in Argentina „pampa" genannt
19 gelegen - *situated*
19 der Neusiedler See liegt südöstlich von Wien auf der Grenze zwischen Österreich und Ungarn.
20 die Fläche = die Bodenfläche (1)
20 entfallen [7a] (auf + *acc.*) - *be a part (of)*
20-22 *Subject of main clause?*
21 der Bodensee - *Lake Constance*
22 über...hinaus [§15] - *besides*
24 fruchtbar - *fertile*
25 das Hügelland - *hilly country*
25 stellenweise - *here and there*
26 sich erheben [2d] - *rise*
26 durchziehen [2a] - *extend through*
27 die Kette - *chain*
27 dar•stellen - *represent, be*

glockner mit einer Höhe von 3798 m dar. Weite Regionen des Gebirges sind von ewigem Schnee und Eis bedeckt. Bedeutende 30 Flüsse, die Enns, die Drau und die Mur, entspringen in den österreichischen Alpen. Ihre Wasserkräfte gewinnen innerhalb der europäischen Wasserwirtschaft immer mehr an Bedeutung. Riesige Stauseen sind in einsamen Gebirgstälern entstanden. Millionen Kilowatt elektrischen Stromes werden in den Elek- 35 trizitätswerken mitten im Gebirge erzeugt. Aber auch die Flüsse des Flachlandes, insbesondere die Donau, spielen heute als Kraftquellen eine bedeutende Rolle.

Von den rund 7 Millionen Österreichern bekannten sich bei der letzten Volkszählung rund 99% zur deutschen Muttersprache, 40 während wenig mehr als 1% anderer Volkszugehörigkeit sind.

Rund 89% sind Katholiken, etwas mehr als 6% sind Angehörige protestantischer Kirchen, 0,5% Altkatholiken, 0,2% Juden, 0,1% Angehörige der griechisch-katholischen Kirche. 0,2% sind Angehörige anderer Konfessionen, 3,8% der Bevöl- 45 kerung bekennen sich zu keiner Religionsgemeinschaft.

Jahrelang ergoß sich ein Strom von Flüchtlingen über Österreich. Viele von diesen Flüchtlingen haben Österreich wieder verlassen, um in Deutschland oder in überseeischen Ländern eine neue Heimat zu finden. Vielen anderen von ihnen hat 50 Österreich die österreichische Staatsbürgerschaft verliehen. Nach den tragischen Vorgängen im Nachbarland Ungarn strömten im Spätherbst 1956 nahezu 180.000 Flüchtlinge über die Grenze, von denen Ende 1960 noch immer 8940 in Österreich lebten. Aus Jugoslawien trafen 1959 3277, 1960 4538, 1961 3532 und 55 1966 2005 Flüchtlinge in Österreich ein. Im Jahre 1969 suchten 1279 Personen aus Jugoslawien, 1005 Personen aus Ungarn und 6530 Personen aus der Tschechoslowakei in Österreich um politisches Asyl an.

Das Landschaftsbild

60 Im Bundesstaat Österreich führt jedes der neun Bundesländer sein eigenes Leben. Jede Landesregierung und jeder Landtag ist darauf bedacht, die Autonomie des Landes zu bewahren. Auch landschaftlich unterscheiden sich in der österreichischen Republik die einzelnen Bundesländer voneinander.

29 das Gebirge - *mountain range*
29 ewig - *eternal, perpetual*
29 bedeutend - *important*
30 entspringen [3a] - *have its source*
31 gewinnen [3b] (an + *dat.*) - *gain (in)*
33 riesig - *gigantic, huge*
33 der Stausee - *reservoir* (stauen - *dam up*)
33 einsam - *secluded, isolated*
34 der Strom - *current*
35 erzeugen = produzieren
36 das Flachland - *lowland*
37 die Quelle - *source*
38 sich bekennen [§6.1.2] (zu) - *declare*
39 die Volkszählung - *census*
40 die Volkszugehörigkeit = die Nationalität
41 der/die Angehörige = das Mitglied
42 0,5% = Null Komma fünf Prozent
42 Altkatholiken: *those Catholics who broke off from the Roman church at the time of the declaration of papal infallibility in 1870.*
44 die Konfession - *denomination*
46 sich ergießen [2a] - *pour*
48 verlassen [7a] - *leave*
50 verleihen (4)
51 der Vorgang - *event*
56 an•suchen (um) - *apply (for) request*
62 darauf bedacht sein - *be careful*
62 bewahren - *preserve*
64 einzeln - *individual*

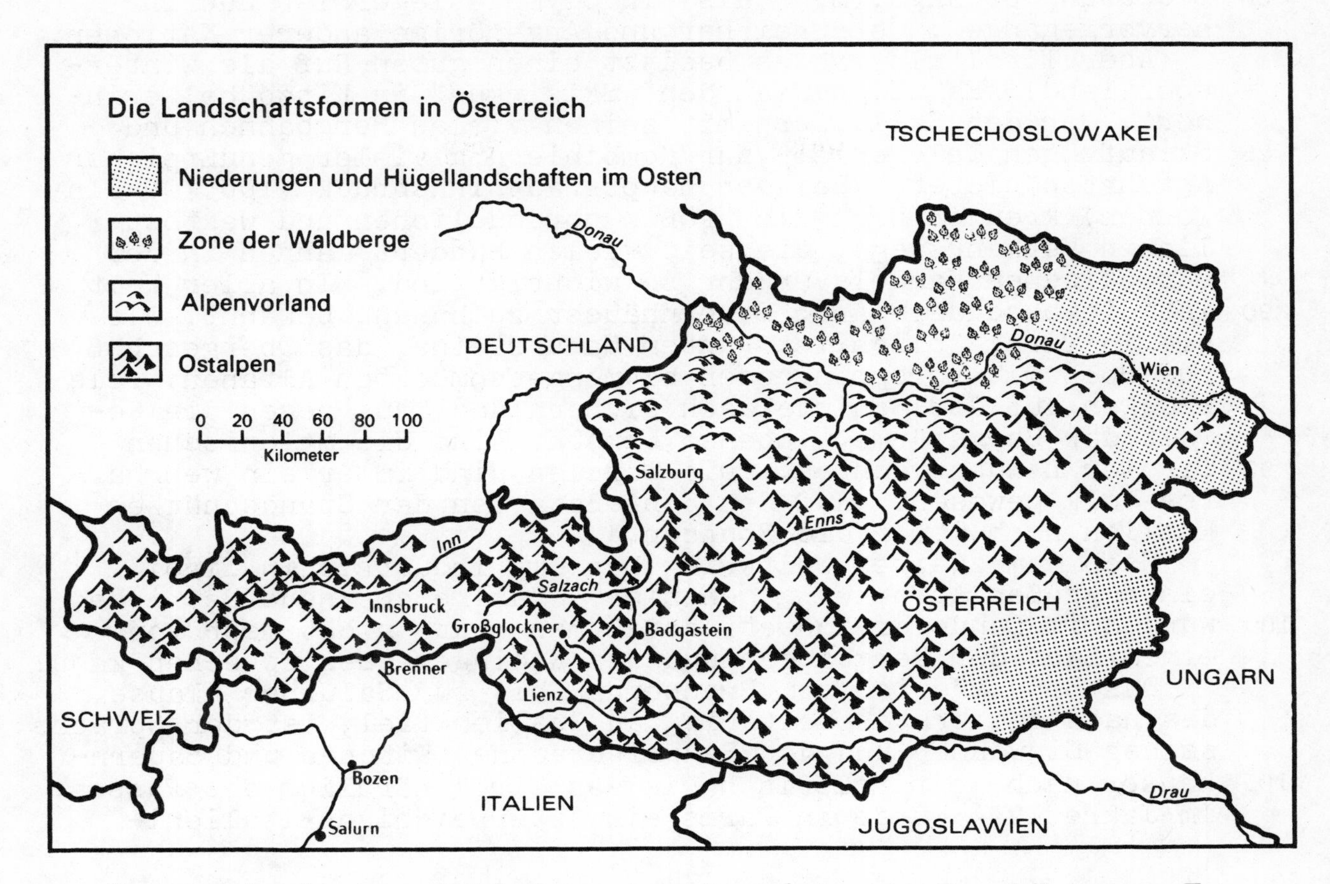

65 Österreichisches Gebiet erstreckt sich von den höchsten Erhebungen der Ostalpen bis zur ungarischen Tiefebene, sodaß jedes Bundesland von den anderen durch seine Bodengestaltung, seine Volkstrachten und Volksbräuche verschieden ist. Aber so sehr die Erhaltung ihrer Eigenständigkeit den Bundesländern am Herzen liegt, so sehr fühlen sie sich alle als Mit-
70 glieder des österreichischen Bundes. Die Vielfalt der Länder in der Einheit des Staates ist für Österreich charakteristisch.

Tirol (12.648 km², 462.900 Einwohner)

75 In das östlich an Vorarlberg anschließende Bundesland Tirol gelangt man über den Arlberg mit seinem 10 km langen Eisenbahntunnel und seiner guten Autostraße. Auf dem Arlberg und an seinen Hängen liegen viele beliebte Wintersportorte. Die Arlberger Schule des Skilaufes hat internationale

67 die Bodengestaltung - *topography*
68 die Volkstracht - *regional costume*
68 der Volksbrauch - *regional custom*
68 verschieden - *different*
69 die Erhaltung - *maintenance*
69 die Eigenständigkeit = die Autonomie
70 (es) liegt mir am Herzen - *I attach great importance to (it)*
71 die Vielfalt - *diversity*
75 der Vorarlberg: das westlichste Bundesland Österreichs
75 anschließend - *adjoining*
76 gelangen (in) = erreichen
77 der Arlberg: Alpenpaß 1802 m hoch
77 die Eisenbahn - *railroad*
77 die Autostraße - *highway*
78 der Hang - *slope*
78 beliebt - *popular*
79 der Skilauf - *skiing* (Ski = Schi)

80 Bedeutung erlangt, mehr als ein Olympiasieger ist aus ihr hervorgegangen, Österreicher und Angehörige anderer Nationen.
Aber Tirol als ganzes besitzt einen guten Ruf als Wintersportland. Es sei nur an den „Skizirkus" in Kitzbühel erinnert, der den Skiläufern mit seinen vielen Bergbahnen und
85 Skiaufzügen Gelegenheit zur Kombinierung vieler genußreicher Abfahrten bietet. Bei der Hauptstadt Innsbruck (100.700 Einwohner) kreuzen sich die großen nordsüdlichen und westöstlichen Verkehrswege, die seit vielen hundert Jahren in der europäischen Handelsverkehr so wichtig sind. In aller Welt
90 ist die besondere Art, Bauernhäuser zu bauen, bekannt, wie sie in Tirol üblich ist: unten Natursteine, das Obergeschoß aus Holz mit vorspringenden blumengeschmückten Altanen. Felsbrocken auf dem Schindeldach sichern das Haus gegen die Gewalt der Bergstürme. Ebenso bekannt sind die malerischen
95 Tiroler Landestrachten. Die Tiroler sind immer ein wehrhaftes Volk gewesen. Auf den Schießstätten der Standschützen knallen noch immer die Stutzen.
Nach dem zweiten Weltkrieg hat die Industrie in Tirol einen großen Aufschwung genommen. Zahlreiche neue Betriebe
100 wurden im Lande errichtet, sodaß man heute nicht mehr von einem Land der Bergbauern und des Kleingewerbes sprechen kann.
Das Land südlich vom Brennerpaß bis zur Salurner Klause, das nach dem ersten Weltkrieg an Italien fiel, ist der Sprache seiner Einwohner und der Bauweise seiner Kirchen und Bauern-
105 häuser nach so tirolerisch wie das Tirol nördlich des Passes. Im Jahre 1946 wurde in Paris ein österreichisch-italieni-

80 erlangen - *achieve*
80 der Olympiasieger - *victor at the Olympic Games*
82 der Ruf - *reputation*
83 es sei nur (an + *acc.*) erinnert - *may we (let us) just call your attention (to)*
83 Kitzbühel: Stadt zwischen Innsbruck und Salzburg
84 der Skiläufer (Schiläufer) - *skier*
84 die Bergbahn - *mountain railroad*
85 der Skiaufzug - *ski lift*
85 die Gelegenheit - *opportunity*
85 die Kombinierung vieler Abfahrten - *combining many (different) descent-routes*
85 genußreich - *enjoyable*
86 bieten [2a] - *offer*
87 sich kreuzen - *cross*
88 der Verkehrsweg (5)
89 der Handel - *trade*
91 üblich - *customary*
91 unten - *below*
91 das Obergeschoß - *upper story*
92 vor•springen [3a] - *project*
92 schmücken - *decorate*
92 der Altan - *balcony*
92 der Felsbrocken - *piece of rock: Is* Felsbrocken *singular or plural?*
93 das Schindeldach - *shingle roof*
93 sichern - *make safe*
94 malerisch - *picturesque*
95 Landestracht (61: Volkstracht)
95 wehrhaft - *intrepid*
96 Schießstätte - *shooting range*
96 Standschützen - *associations of marksmen which had official existence in Tirol and Vorarlberg from the 16th century to 1918 and were dedicated to the defense of their borders.*
97 knallen - *crack, bang*
97 der Stutzen - *carbine*
99 der Aufschwung - *upswing, progress*
99 der Betrieb - *firm, enterprise*
100 errichten - *establish, set up*
101 das Kleingewerbe - *small business*
102 der Brennerpaß - Alpenpaß in Tirol, 1370 m hoch, an der Grenze zwischen Österreich und Italien
102 die Salurner Klause - *pass at Salorno, Italy, about 100 km south of Brenner (see map)*
104 die Bauweise - *architectural style*
105 so tirolisch wie: *In this part of northern Italy, most towns and cities have both German and Italian forms of their names.*

sches Abkommen unterzeichnet, der Gruber-de Gasperi-Vertrag, der den deutschsprechenden Südtirolern eine bescheidene Autonomie und die Bewahrung ihrer Eigenart sichern soll. Die Er-
110 füllung dieses Vertrages durch den Vertragspartner Italien ist in den letzten Jahren immer wieder Gegenstand von Besprechungen und Verhandlungen gewesen. Auch die UNO hat sich im Herbst 1960 mit diesem Problem befaßt.

Durch die Abtrennung Südtirols von Nordtirol ist nunmehr
115 Osttirol, mit seiner Hauptstadt Lienz, ein eigener Gebietsteil Tirols geworden, der im Osten an Kärnten grenzt und dem die östlichen Ausläufer der Dolomiten ihr Gepräge geben. Von der Landeshauptstadt Innsbruck ist dieser Teil im direkten Weg nur mehr über italienisches Gebiet erreichbar.

120 Salzburg (7155 km², 345.700 Einwohner)

Die imposante Gebirgslandschaft mit den schneebedeckten Gipfeln, den engen Tälern, den wild dahinstürmenden Gebirgsbächen und den steilen Felswänden lockert sich, wenn Eisenbahn und Autostraße an der Ostgrenze Tirols salzburgisches
125 Gebiet erreichen. Die Mozartstadt Salzburg (106.892 Einwohner) mit ihren barocken Kirchen und Palästen, von Kirchenfürsten erbaut, die zugleich große und mächtige Herren im weltlichen Bereich waren, ist wegen des südländischen Charakters ihrer Prunkbauten das „Rom des Nordens" genannt
130 worden.

Das Festspielhaus, in den Berg hineingebaut, mit seinen berühmten Opernaufführungen zieht immer mehr Gäste an, und in der Felsenreitschule dahingegangener streitbarer Erzbischöfe erklingt die Musik Mozarts und Beethovens.

107 das Abkommen = der Vertrag - *treaty*
107 unterzeichnen = unterschreiben
107 Gruber, Karl (1909-), österreichischer Politiker
107 de Gasperi, Alcide (1881-1954), italienischer Politiker
108 bescheiden - *limited*
109 die Bewahrung (62: bewahren)
109 die Eigenart - *individuality*
109 sichern - *assure* (93)
111 immer wieder - *repeatedly, again and again*
111 der Gegenstand - *subject*
111 die Besprechung - *discussion*
112 die UNO = die Vereinten Nationen - *United Nations Organization*
113 der Herbst - *autumn*
113 sich befassen (mit) - *deal (with), consider*
114 die Abtrennung - *severance*
114 nunmehr - *now*
116 Kärnten: eines der neun Bundesländer Österreichs
117 der Ausläufer - *foot-hill*
117 die Dolomiten: Teil der Ostalpen
117 das Gepräge - *characteristic appearance*
120 Salzburg: eines der neun Bundesländer Österreichs
122 der Gipfel - *peak*
122 eng - *narrow*
123 der Bach - *brook*
123 steil - *steep*
123 die Felswand - *cliff*
123 sich lockern - *spread out*
125 Wolfgang Amadeus Mozart (1756-91)
126 der Kirchenfürst - *ecclesiastical and secular ruler*
127 die: *Antecedent?*
128 der Bereich - *domain*
129 der Prunkbau [§3.5] - *splendid building*
131 das Festspielhaus - *festival hall*
131 den: *What case? Why?*
132 an·ziehen [2a] - *attract*
132 der Gast - *visitor*
133 die Felsenreitschule: *formerly a riding academy, today used as a concert hall*
133 dahingegangen - *deceased*
133 streitbar - *bellicose*
133 der Erzbischof - *archbishop*

135 Aber das Land Salzburg gründet seinen Ruhm nicht allein auf seine Hauptstadt, die Festspielstadt Salzburg. Hoch oben in den Salzburger Bergen wurde eines der größten Wasserkraftelektrizitätswerke der Welt, das Werk von Kaprun, geschaffen. Einsame Bergtäler wurden zu riesigen Stauseen, die das von
140 den Gletschern herabströmende Wasser füllt. Durch den Berg wurde ein langer Stollen geschlagen, der, die Natur verändernd, den Möllfluß vom Süden her über die Wasserscheide hinweg dem Salzburger Wasserkraftwerk bei Kaprun zuleitet. Ein Wasser anderer Art, ein heilkräftiges, heißes und radium-
145 haltiges, quillt im Tal von Gastein im Lande Salzburg aus dem Berg. Riesige Hotels, die Wolkenkratzern gleichen, sind in Badgastein zu beiden Seiten der zu Tal stürzenden Gasteiner Ache an die Berglehnen gebaut worden. Viele tausend Menschen aus allen Ländern der Erde haben im Gasteiner Tal Heilung
150 oder doch Linderung ihrer Leiden gefunden. In dem ehemaligen Bergwerk von Böckstein bei Badgastein wurde ein Stollen, dessen feuchtwarme Luft, wie die Ärzte feststellten, von radioaktiven Dämpfen erfüllt ist, zu einer Heilstätte für Rheumakranke und Gichtbefallene ausgebaut.
155 Ihren Namen erhielten Stadt und Land Salzburg, wie das seenreiche Salzkammergut, von den Steinsalzvorkommen, die auch heute noch abgebaut werden und die Österreich mit Salz versorgen. Dazu kommen Industriebetriebe, deren Zahl sich nach dem zweiten Weltkrieg wesentlich erhöhte. Auch Salzburg ist ein
160 Wintersportland, das sich viele Bergbahnen und Skilifte geschaffen hat.

135 gründen - *base*
135 der Ruhm - *fame*
135 allein = nur
138 Kaprun: kleine Stadt, ein bißchen nördlich vom Großglockner. Kaprun liegt an der Salzach, einem Fluß, der durch Salzburg fließt.
139 Stausee (33)
140 der Gletscher - *glacier*
141 der Stollen - *tunnel*
142 verändern - *alter*
142 die Möll: dieser Fluß entspringt am Großglockner.
142 vom...her / über...hinweg [§15]
142 über...hinweg - *across*
142 die Wasserscheide - *divide*
144 heilkräftig - *medicinal*
145 -hältig - *-containing*
145 quellen [2e] - *flow*
145 Gastein: Seitental der Salzach
146 die Wolke - *cloud;* der Wolkenkratzer - *skyscraper*
146 gleichen [1b] (+ *dat.*) - *resemble*
147 stürzen - *plunge*
148 die Ache: "Ache," "Ach" *frequently in river names in Bavaria and Austria* (Salzach); *cognate with Latin "aqua."*
148 die Lehne = der Hang - *slope*
150 doch - *at least*
150 die Linderung - *relief*
150 das Leiden - *suffering*
150 ehemalig - *former*
151 das Bergwerk - *mine*
152 feucht - *moist*
153 der Dampf - *vapor*
153 die Heilstätte - *sanatorium*
154 der/die Gichtbefallene - *a person afflicted with gout*
155 Namen: *Subject of the sentence?*
156 das Salzkammergut - *picturesque mountainous region east of Salzburg*
156 das Steinsalzvorkommen - *rock salt deposit*
157 ab•bauen - *mine*
157 versorgen - *provide, supply*
159 sich erhöhen - *increase*

QUESTIONS ON THE TEXT

Geographie und Bevölkerung:

Describe Austria's geographical location in terms of longitude and latitude.
How is its location advantageous to Austria's economic development?
Where are the highest mountains in Austria?
Where is the flattest land?
What are the two biggest lakes?
Which has more of its surface within Austria?
What is the most important river of Austria?
Name three in addition to that one.
How are these rivers important to the industrial development of Europe?
What is the population of Austria?
How many foreigners reside there?
What is the predominant religion?
Did most of the stream of refugees that has poured into Austria in the last years stay there?
Where did many of them finally settle?

Das Landschaftsbild:

What is each of the Bundesländer *of Austria intent upon preserving?*
How does Austria demonstrate unity with diversity?

Tirol:

What Land *borders on Tirol to the west?*
What are the two most common routes to get into Tirol from the west?
What is the most important income-producing activity in Tirol?
Describe the typical Tirolean Bauernhaus.
How do the men of Tirol demonstrate their ability to defend themselves?
In what way has industry developed since World War II?
To what country does South Tirol belong?
Since when?
With what reasons does Austria lay claim to South Tirol?
For what does the Gruber-de Gasperi Treaty provide?
Is Austria satisfied with Italy's compliance with its provisions?
What effect does the separation of South Tirol from Austria have on communications between North and East Tirol?
What is the capital of East Tirol?
What is the capital of the whole Land?

Salzburg:

How does the landscape change as one approaches Salzburg from the west?
Who was the most famous musician born in Salzburg?
What nickname does the city have?
What reason is given for this?
What are some of the tourist attractions?
What is the industrial base of the Land *Salzburg?*
How was the landscape changed in order to establish some of the generating plants?
For what else are the waters of these mountains famous?
How did Salzburg get its name?

[A number preceded by the sign § refers to the Grammar Reference Notes. A number alone refers to a page in the Einführung.*]*

[Entries from the Words and Word Families in the Einführung *are indicated by page numbers in parentheses. Words from the Words and Word Families in* Mensch und Gesellschaft *are indicated by the unit number alone, those from the footnotes by the unit and line number.]*

C

D

W